30 Stunden Niederländisch
für Anfänger

Von

LIC. FR. BEERSMANS

Neubearbeitung 1975

LANGENSCHEIDT
BERLIN · MÜNCHEN · WIEN · ZÜRICH

Die Texte der ersten Lektionen dieses Lehrbuches wurden auf einer Langspiel-platte (17 cm ⌀, 45 U/min) aufgenommen, die gesondert lieferbar ist.

| Auflage: | 8. 7. 6. 5. 4. | Letzte Zahlen |
| Jahr: | 1984 83 82 81 80 | maßgeblich |

© 1975 by Langenscheidt KG, Berlin und München
Druck: Druckhaus Langenscheidt, Berlin-Schöneberg
Printed in Germany · ISBN 3–468–28231–1

Einleitung

Zweck und Inhalt der Sprachlehre

In dreißig Stunden — 30 Stunden ist hier nicht als Zeitbegriff zu werten, sondern gleichbedeutend mit 30 Lektionen — gibt dieses Lehrbuch eine in sich abgeschlossene Einführung in die niederländische Sprache, in die Aussprache und Rechtschreibung des Niederländischen, in den Wortschatz und die Ausdrucksweise des modernen Lebens, in die Regeln und Gesetze der niederländischen Sprache.

Die niederländischen *Lese- und Übungstexte* sind planmäßig so aufgebaut, daß sie den Umkreis des täglichen Lebens unserer Zeit in Beruf und Erholung, Arbeit und Entspannung im Hause und in der Öffentlichkeit umfassen. Wer den in den Texten gebotenen Wortschatz verarbeitet hat, besitzt für das Sprechen, Schreiben und Verstehen des Niederländischen eine sichere Grundlage.

Bei der Ausarbeitung des *grammatischen Stoffes* war Klarheit und Übersichtlichkeit das Grundgebot. Darum ist der grammatische Stoff nicht in viele unzusammenhängende Bruchstücke aufgesplittert worden, sondern er wird immer in geschlossenen Einheiten geboten. Im allgemeinen sind die wichtigsten Erscheinungen der Satzlehre im Zusammenhang mit der Formenlehre erläutert worden. Mit Hilfe des alphabetischen Sachweisers am Ende des Buches kann dieses Lehrbuch gleichzeitig als grammatisches Nachschlagewerk gebraucht werden.

Die vielfältigen *Übungen* tragen ihren Teil dazu bei, daß der grammatische Stoff der Lektion festes Eigentum des Lernenden wird. Die Aufgaben, die der Lernende in den Übungen zu lösen hat, sind so abwechslungsreich wie möglich gestaltet worden: sie reichen von der Einübung grammatischer Formen nach einem Muster, der Umbildung ganzer Sätze, Einsetzübungen usw. bis zu Übersetzungen aus dem Deutschen ins Niederländische.

*

Kennzeichen der vorliegenden, von Herrn *Lic. Fr. Beersmans* besorgten gründlichen Neubearbeitung, an der seine Mitarbeiterin Frau *Margriet Jacobs* durch die Abfassung lebendiger Texte beitrug, sind:

abwechslungsreiche Übungen, ausführliche Erläuterung und Angabe der Aussprache mit Hilfe der internationalen Lautschrift (A.P.I.); wesentliche Ergänzungen in den grammatischen Abschnitten und klare Fassung der Regeln. Die Liste der starken und unregelmäßigen Verben im Anhang des Lehrbuches wird dem Lernenden von großem praktischem Nutzen sein.

Der Verlag

Allgemeine Bemerkungen zum Niederländischen

Das Niederländische und das Deutsche sind bekanntlich eng verwandt: es sind zwei Schwestersprachen. Dies wird vor allem auf dem Gebiet des Wortschatzes und der Syntax deutlich. Die Ähnlichkeiten können aber auch zu Mißverständnissen führen, indem etwa äußerlich ähnliche Wörter im Niederländischen eine völlig andere Bedeutung haben, z. B. *ndl.* bellen = *dt.* klingeln, *ndl.* kachel = *dt.* Ofen, *ndl.* slim = *dt.* klug.

Im Bereich der Morphologie, d. h. der Flexion und Konjugation, ist das Niederländische einfacher als das Deutsche und nimmt dadurch innerhalb der germanischen Sprachen eine Zwischenstellung zwischen Deutsch und Englisch ein.

Die allgemein anerkannte niederländische Sprachnorm, **Algemeen Beschaafd (Nederlands)** oder abgekürzt **A.B.(N.)** genannt, stammt aus dem Westen der Niederlande: dem eigentlichen Holland und der Provinz Utrecht. Daneben gibt es natürlich, genau wie etwa im Deutschen, im niederländischen Sprachgebiet regionale Sprachunterschiede.

In diesem Lehrbuch wird von der holländischen Norm ausgegangen. Diese ist auch in der nördlichen Hälfte Belgiens anerkannte Hochsprache, wo sie auch als Flämisch bezeichnet wird. (Daneben bezieht sich der Terminus „Flämisch" auch oft auf die dortige Gruppe niederländischer Dialekte und wäre in dieser Bedeutung etwa mit den deutschen Begriffen „Hessisch" oder „Schwäbisch" vergleichbar).

Inhaltsverzeichnis

(**A** = *Lesestück*, **B** = *Grammatik*)

Zur Aussprache und Schreibung des Niederländischen

Vorbemerkungen

Zur Aussprache: Die niederländische **Artikulation** ist schlaffer als die deutsche, nicht so schlaff aber wie die englische. So sind im Niederländischen die stimmlosen Explosivlaute **p, t** und **k** unbehaucht. Aus demselben Grund unterbleibt im allgemeinen bei einer mit einem Vokal anfangenden Silbe der typisch deutsche Knacklaut. Diese Silbe wird statt dessen, ähnlich wie im Französischen, oft mit der vorhergehenden verbunden (= „liaison").

Die **Betonung** der niederländischen Wörter ist weitgehend der deutschen ähnlich: die erste Háuptsilbe trägt in der Regel den Hauptton. (Abweichungen werden in diesem Lehrbuch besonders gekennzeichnet).

Zur Schreibung: Das Niederländische besitzt eine regelmäßigere Orthographie als etwa das Deutsche oder Englische.

So wird die Wiedergabe von zwei verschiedenen Lauten durch ein und dasselbe Schriftzeichen, vgl. *dt.* von (kurz!) neben *dt.* Ton (lang!), oder auch die Wiedergabe ein und desselben Lautes durch zwei oder mehrere verschiedene Schriftzeichen(verbindungen), vgl. *dt.* Sohn neben *dt.* Moor und *dt.* Ton (alle lang!), weitgehend vermieden. Ausnahmen dazu bilden vor allem die Fremdwörter.
Dieser Sachverhalt macht eine direkte Verknüpfung der Aussprache der Laute mit ihrer entsprechenden Schreibung in der nun folgenden Darstellung sinnvoll.

Ausgangspunkt für dieses Regelsystem sind die aus den auch dem Deutschen bekannten Silbentrennungsregeln übernommenen Begriffe **offene** bzw. **geschlossene Silbe.** Sie sind aber in bezug auf die Orthographie konsequenter als bei der üblichen Silbentrennung, nämlich „ganz stur" (!) zu handhaben:

eine Silbe ist offen, wenn sie nach erfolgter Silbentrennung auf einen **Vokal** endet, z. B. **ne**-men *nehmen,* **bo**-ten *Boote.*

Auch die auslautende auf Vokal endende Silbe ist selbstverständlich offen z. B. **la** *Schublade,* **zo** *so.*

eine Silbe ist geschlossen, wenn sie nach erfolgter Silbentrennung auf einen **Konsonanten** endet, z. B. **paar**-den *Pferde,* **beel**-den *Bilder.* Ganz konsequent auch etwa: **lac**-hen *lachen,* **looc**-henen *leugnen,* **fees**-ten

Feste; d. h. immer, wenn inlautend zwei oder mehrere Konsonanten stehen, gilt die Silbe als geschlossen.

Die auslautende auf Konsonant endende Silbe ist selbstverständlich geschlossen, z. B. **boot** *Boot*, **paard** *Pferd*, **dak** *Dach*.

Diese Begriffe **offene** bzw. **geschlossene Silbe** werden nun im Niederländischen auf die Vokalzeichen **a, e, o, u** und teilweise auch auf **i** angewandt, die wie im Deutschen sowohl kurze als auch lange Laute repräsentieren, vgl. **e** in dt. Bett und dt. beten.

1. Für die betreffenden **langen Vokale** ([aː], [eː], [oː] und [yː]) sowie für das halblange [yˑ] lautet die niederländische Regel:
in **geschlossener Silbe** werden sie **doppelt** geschrieben, z. B. **baard** – **baarden** *Bart – Bärte*; **beest** – **beesten** *Biest(er)*; **goochelen** *zaubern*; **buurt** – **buurten** *Nachbarschaft(en)*; **minuut** *Minute*; **baan** *Bahn*; **beek** *Bach*; **poot** *Pfote*; **muur** *Mauer*.
in **offener Silbe** werden sie **einfach** geschrieben, z. B. **banen** *Bahnen*; **la** *Schublade*; **beken** *Bäche*; **poten** *Pfoten*; **muren** *Mauern*; **minuten** *Minuten*.

Ausnahme: das lange [eː] wird in der **auslautenden offenen Silbe** mit **doppel-ee** wiedergegeben (und zwar zur Unterscheidung von [ə]), vgl. **zee** [zeː] *See* – **ze** [zə] *sie*.
Beachte die sich aus diesen beiden Regeln ergebende Abwechslung zwischen Doppel- bzw. Einfachschreibung des Vokals in den Fällen, wo im Inlaut nur ein Konsonant hinter dem betreffenden Vokal steht. Vgl. die obigen Beispiele (**baan** gegenüber **banen** usw.).
Weitere Beispiele: **straat** – **straten** *Straße(n)*; **spelen** – **ik speel** *spielen – ich spiele*; **tonen** – **ik toon** *zeigen – ich zeige*; **buur** – **buren** *Nachbar(n)*. Aber: **poort** – **poorten** *Pforte(n)*; **kaart** – **kaarten** *Karte(n)* usw., weil hier natürlich zwei Konsonanten vorhanden sind und die Silbe daher immer (also auch im Inlaut) geschlossen ist.

2. Die entsprechenden **kurzen Vokale** [ɑ], [ɛ], [ɔ], [ə] und außerdem [ɪ] werden **immer einfach** geschrieben und müssen **immer in geschlossener Silbe** stehen; dazu muß gegebenenfalls der inlautende Konsonant verdoppelt werden. Beispiele: **bord** – **borden** *Teller*; **kist** – **kisten** *Kiste(n)*; **barst** – **barsten** *Risse*. Mit Konsonantenverdoppelung: **ton** – **tonnen** *Tonne(n)*; **dik** – **dikke** *dick(e)*; **missen** – **ik mis** *vermissen – ich vermisse*; **dun** – **dunne** *dünn(e)*; **bal** – **ballen** *Ball – Bälle*.
Merke: Doppelkonsonanz im Auslaut ist also im Niederländischen ausgeschlossen (weil schon mit einem auslautenden Konsonanten die Silbe geschlossen ist), vgl. *ndl.* **kus** = *dt.* **Kuss**.

Diese Regelung anhand der Begriffe offene bzw. geschlossene Silbe gilt nur für die obenerwähnten Vokale, die ja abwechselnd doppelt bzw. einfach geschrieben werden, und nicht für die anderen, gleichgültig, ob diese kurz, lang oder halblang sind: sie werden durch feste Verbindungen von Schriftzeichen, z. B. [øː] durch eu oder [uə] durch oe wiedergegeben. Bei ihnen spielt die Frage der offenen bzw. geschlossenen Silbe keine Rolle, da oe, eu, ie usw. ja keine Doppelschreibungen im eigentlichen Sinne sind. Vgl. die Übersicht weiter unten.

Anm.: *Bis auf die mit Übungen versehenen Abschnitte und einige durch Kästen hervorgehobene Unterschiede zum Deutschen sind die folgenden Tabellen nicht als systematisch zu behandelnde Lerngegenstände gedacht.*

1. Allgemeine Zeichen

[ ] die Lautschrift erscheint immer in eckigen Klammern.
ˈ die Hauptbetonung bei zwei- oder mehrsilbigen Wörtern hat die auf dieses Zeichen folgende Silbe.
ː hinter einem Vokal in Lautschrift gibt an, daß dieser lang ist.
˙ hinter einem Vokal in Lautschrift gibt an, daß dieser halblang ist.

2. Vokale
a) Die haupttonigen niederländischen Vokale

Lautzeichen	Lautcharakteristik	Schriftzeichen*	Beispiele
[aː]	helles a wie in Wasser, aber lang	aa in geschl. Sb.;	straat [straːt] *Straße*
		a in off. Sb.	straten [ˈstraːtə(n)] *Straßen*
[ɑ]	dunkles a wie in Straße, aber kurz	a, immer in geschl. Sb.	kan [kɑn] *Kanne* kannen [ˈkɑnə(n)] *Kannen*
[eː]	wie e in leben	ee in geschl. Sb.; e in off. Sb.	beek [beːk] *Bach* beken [ˈbeːkə(n)] *Bäche*

11

Laut-zeichen	Lautcharakteristik	Schriftzeichen*	Beispiele
[ɛ]	wie e in Bett, aber etwas offener	e, immer in geschl. Sb.	bed [bɛt] *Bett* bedden ['bɛdə(n)] *Betten*
[iː]	wie ie in Bier (im Ndl. nur vor [r] lang!)	immer ie	mier [miːr] *Ameise* mieren ['miːrə(n)] *Ameisen*
[iˑ]	wie i in Zigarre	immer ie	lied [liˑt] *Lied* liederen ['liˑdərə(n)] *Lieder*
[ɪ]	wie i in Kind, aber etwas offener	i, immer in geschl. Sb.	kin [kɪn] *Kinn* kinnen ['kɪnə(n)] *Kinne*
[oː]	wie o in Brot	oo in geschl. Sb.; o in off. Sb.	boot [boːt] *Boot* boten ['boːtə(n)] *Boote*
[ɔ]	wie o in Gott, aber etwas offener	o, immer in geschl. Sb.	pot [pɔt] *Topf* potten ['pɔtə(n)]*Töpfe*
[ə]	ein Laut, etwa zwischen ö in können und ö in lösen, aber kurz	u, immer in geschl. Sb.	lus [ləs] *Schlinge* lussen ['ləsə(n)] *Schlinge*
[øː]	wie ö in lösen	immer eu	deur [døːr] *Tür* deuren ['døːrə(n)] *Türen*
[uː]	wie u in Bluse (im Ndl. nur vor [r] lang!)	immer oe	boer [buːr] *Bauer* boeren ['buːrə(n)] *Bauern*
[uˑ]	wie u in Musik	immer oe	boek [buˑk] *Buch* boeken ['buˑkə(n)] *Bücher*
[yː]	wie ü in Hügel (im Ndl. nur vor [r] lang!)	uu in geschl. Sb.; u in off. Sb.	muur [myːr] *Mauer* muren ['myːrə(n)] *Mauern*
[yˑ]	wie ü in amüsieren	uu in geschl. Sb.; u in off. Sb.	minuut [miˑ'nyˑt] *Minute* minuten [miˑ'nyˑtə(n)] *Minuten*

* *geschl. Sb.* = *geschlossene Silbe*; *off. Sb.* = *offene Silbe*

Übungen: Füllen Sie den diktierten Vokal aus und beachten Sie auch den folgenden Konsonanten: dieser soll gegebenenfalls verdoppelt werden.

Übung 1

diktiert	auszufüllen
1. [bɑk] – [ˈbɑkə(n)]	b k – b k e n
2. [taːl] – [ˈtaːlə(n)]	t l – t l e n
3. [staːrt] – [ˈstaːrtə(n)]	s t r t – s t r t e n
4. [ˈtɛlə(n)] – [ɪk tɛl]	t l e n – i k t l
5. [ˈspeːlə(n)] – [ɪk speːl]	s p l e n – i k s p l
6. [beːlt] – [ˈbeːldə(n)]	b l d – b l d e n
7. [kɔrst] – [ˈkɔrstə(n)]	k r s t – k r s t e n
8. [məs] – [ˈməsə(n)]	m s – m s e n
9. [dɑk] – [ˈdaːkə(n)] (!)	d k – d k e n
10. [stɛr] – [ˈstɛrə(n)]	s t r – s t r e n
11. [meː]	m
12. [ˈbɪdə(n)] – [ɪg bɪt]	b d e n – i k b d
13. [kyːr] – [ˈkyːrə(n)]	k r – k r e n
14. [kəst] – [ˈkəstə(n)]	k s t – k s t e n
15. [toːrts] – [ˈtoːrtsə(n)]	t r t s – t r t s e n

Übung 2

1. [duˑk] – [ˈduˑkə(n)]	d k – d k e n
2. [kiːr] – [ˈkiːrə(n)]	k r – k r e n
3. [løːk] – [ˈløːkə]	l k – l k e
4. [zuˑn] – [ˈzuˑnə(n)]	z n – z n e n
5. [ziˑk] – [ˈziˑkə]	z k – z k e
6. [røːs] – [ˈrøːzə(n)]	r s – r z e n
7. [buːr] – [ˈbuːrə(n)]	b r – b r e n
8. [ˈbiˑdə(n)] – [ɪg biˑt]	b d e n – i k b d

13

b) Die Diphthonge

Laut-zei-chen	Lautcharakteristik	Schrift-zeichen	Beispiele
[ɑu]	ähnlich dem deutschen **au** in Haus, das **a** aber mit zurück-gezogener Zunge	au, ou	paus [pɑus] *Papst* hout [hɑut] *Holz*
[ɛĭ]	wie **ä** in Bär, aber kurz, übergehend in ein [i] wie **i** in Legion	ei, ij	leiden [ˈlɛĭdə(n)] *leiten* lijden [ˈlɛĭdə(n)] *leiden*
[əʏ]	wie **ö** in können, aber offener, zweites Element wie das [ʏ] in **eu** in Beule	immer **ui**	huis [həʏs] *Haus*

Übung 3

1. [bɑːs] – [ˈbaːzə(n)]   b s – b   z e n
2. [pɔt] – [ˈpɔtə(n)]   p t – p   t e n
3. [təʏn] – [ˈtəʏnə(n)]   t n – t   n e n
4. [fiːr] – [ˈfiːrə]   f r – f   r e
5. [krɑp] – ˈkrɑbə(n)]   k r b – k r   b e n
6. [buˑk] – [ˈbuˑkə(n)]   b k – b   k e n
7. [bɛs] – [ˈbɛsə(n)]   b s – b   s e n
8. [maːnt] – [ˈmaːndə(n)]   m n d – m   n d e n
9. [bryˑt] – [ˈbryˑtə]   b r t – b r   t e
10. [ˈpləkə(n)] – [ɪk plək]   p l k e n – i k p l k
11. [styˑˈdeːrə(n) – [ɪk styˑˈdeːr]   s t d r e n – i k s t d r
12. [ˈbuˑnə(n) – [ɪg buˑn]   b n e n – i k b n
13. [bøːk] – [ˈbøːkə(n)]   b k – b   k e n
14. [bəˈpaːlt] – [bəˈpaːldə]   b e p l d – b e p   l d e
15. [kɑm] – [ˈkɑmə(n)]   k m – k   m e n
16. [ˈspuˑlə(n)] – [ɪk spuˑl]   s p l e n – i k s p l
17. [boːn] – [ˈboːnə(n)]   b n – b   n e n
18. [dɪk] – [ˈdɪkə]   d k – d   k e
19. [taːrt] – [ˈtaːrtə(n)]   t r t – t   r t e n
20. [ləʏ] – [ˈləʏïə]   l   – l   e
21. [ziˑn] – [ɪk siˑ]   z n – i k z
22. [mɛs] – [ˈmɛsə(n)]   m s – m   s e n

23. [du·n] – [ɪg du·]   d n – i k d
24. [ki·s] – [ˈki·sə]   k s – k s e
25. [bø:l] – [ˈbø:lə(n)]   b l – b l e n
26. [la:] – [ˈla:tïə]   l – l t j e
27. [be:st] – [ˈbe:stə(n)]   b s t – b s t e n
28. [kɔnˈfy·s]   c n f s
29. [ˈkɘnə(n)] – [jə kɘnt]   k n e n – j e k n t
30. [stri·m] – [ˈstri·mə(n)]   s t r m – s t r m e n
31. [ko:rt] – [ˈko:rdə(n)]   k r d – k r d e n
32. [by:rt] – [ˈby:rtə(n)]   b r t – b r t e n

c) Die Vokalverbindungen

Laut-zei-chen	Lautcharakteristik	Schriftzeichen	Beispiele
[a:ï]	wie **eih** in **leih**en, aber mit langem [a:] und mit einem deutlicheren [j] am Ende	immer **aai**	draaien [ˈdra:ïə(n)] *drehen*
[o:ï]	wie **oj** in **Boj**e	immer **ooi**	mooi [mo:ï] *schön*
[u·ï]	wie **ui** in **pfui**	immer **oei**	moeite [ˈmu·ïtə] *Mühe*
[aŭ]	wie [au] (s. dort), aber das [u] wird deutlicher ausgesprochen, nämlich wie ein schwaches [w] wie **u** in **Etui**	**auw, ouw** Ausn.: **hou, jou, kou, nou** und **zou**	pauw [paŭ] *Pfau* vrouw [v̌raŭ] *Frau*
[e:ŭ]	nach dem **e** wie in **leb**en ein schwaches [w] wie **u** in **Etui**	immer **eeuw**	leeuw [le:ŭ] *Löwe*
[i·ŭ]	nach dem **i** wie in **Zigarr**e ein schwaches [w] wie **u** in **Etui**	immer **ieuw**	nieuw [ni·ŭ] *neu*
[y·ŭ]	nach dem **ü** wie in **amüs**ieren ein schwaches [w] wie **u** in **Etui**	immer **uw**	Uw [y·ŭ] *Ihr*

Übung 4

1. [me:ŭ] – [ˈme:ŭə(n)]   m – m e n
2. [ta:ï] – [ˈta:ïə]   t – t e

3. [ˈdyˑŭə(n)] – [ɪg dyˑŭ]   d en – i k d
4. [kiˑŭ] – [ˈkiˑŭə(n)]   k – k e n
5. [buˑï] – [ˈbuˑïə(n)]   b – b e n
6. [ˈdoːïə(n)] – [hə(d) doːït]   d en – h e t d t
7. [ˈsneːŭə(n)] – [hət sneːŭt]   s n en – h e t s n t
8. [moːï] – [ˈmoːïə]   m – m e

d) Vokale in nebentonigen Silben und in Fremdwörtern

Lautzeichen	Lautcharakteristik	Schriftzeichen	Beispiele
[ãː]	wie a in Straße, aber durch die Nase gesprochen; wie französisch avant [aˈvãː] vor	u. a. ant, ent	restaurant [rɛstoˑˈrãː] Restaurant
[eˑ]	wie e in Melodie	e	melodie [meˑloˑˈdiˑ] Melodie
[ɛː]	wie ä in Bär	u. a. ai	affaire [aˈfɛːrə] Affäre
[ɛ̃ː]	wie ä in Bär, aber durch die Nase gesprochen; wie französisch fin [fɛ̃ː] Ende	u. a. en	elektricien [eˑlɛktriˑˈsïɛ̃ː] Elektriker
[ə]	wie e in Beginn	e (aber auch i, ij und o)	begin [bəˈ𝄞ɪn] Beginn machtig [ˈmɑxtəx] mächtig
[oˑ]	wie o in Forelle	o	forel [foˑˈrɛl] Forelle
[ɔː]	wie o in Gott, aber lang	u. a. o	zone [ˈzɔːnə] Zone
[ɔ̃ː]	wie o in Gott, aber lang und durch die Nase gesprochen; wie französisch on [ɔ̃ː] man	on	pardon [parˈdɔ̃ː] Verzeihung
[øˑ]	wie ö in Ökonomie	eu, oe	eufonisch [øˑˈfoːniˑs] euphonisch
[œ]	wie ö in können	u.a. eui	feuilleton [fœïəˈtɔn] Feuilleton
[œː]	wie ö in können, aber offener und lang; wie französisch beurre [bœːr] Butter	u.a. oeu	oeuvre [ˈœːv̌rə] Werk
[œ̃ː]	ein durch die Nase gesprochenes [œː] (s. dort); wie französisch humble [ˈœ̃ːblə] demütig	u.a. um	parfum [parˈfœ̃ː] Parfüm

16

e) Halbvokale

Laut-zei-chen	Lautcharakteristik	Schrift-zeichen	Beispiele
[ĭ]	wie i in Legion	u.a. i	station [stɑˈsĭɔn] Bahnhof
[ŭ]	wie u in Etui	u.a. w	eeuw [eːŭ] Jahrhundert

3. Konsonanten

[b]	wie deutsches b	b	beeld [beːlt] Bild
[d]	wie deutsches d	d	drie [driˑ] drei
[f]	wie deutsches f	f	fiets [fiˑts] Fahrrad
[g]	wie deutsches g	k, g	duikboot [ˈdɔɣboːt] U-Boot
			grapefruit [ˈgreːpfruːt] Grapefruit
[ɣ̊]	wie ch in lachen, aber mehr oder weniger stimmhaft	g	gaan [ɣ̊aːn] gehen
[ɣ]	wie ch in lachen, aber stimmhaft	g, ch	wegbrengen [ˈʋɛɣbrɛŋə(n)] wegbringen
[ʒ]	wie j in Journal	j, g	bagage [bɑˈɣ̊aːʒə] Gepäck
[h]	wie deutsches h	h	huis [hɔys] Haus
[j]	wie deutsches j	j	ja [jaː] ja
[k]	wie deutsches k, jedoch nicht behaucht	k	kan [kɑn] Kanne
[l]	wie deutsches l, aber nicht so gespannt	l	lokken [ˈlɔkə(n)] locken
[m]	wie deutsches m	m	moe [muˑ] müde
[n]	wie deutsches n	n	naar [naːr] nach
[ŋ]	wie ng in singen	ng	brengen [ˈbrɛŋə(n)] bringen
[p]	wie deutsches p, jedoch nicht behaucht	p, b	pas [pɑs] Paß
[r]	Zungenspitzen-r oder Zäpfchen-r	r	rijden [ˈrɛĭə(n)] fahren

Laut-zei-chen	Lautcharakteristik	Schrift-zeichen	Beispiele
[s]	wie ss in fassen	s	sussen [ˈsəsə(n)] *beruhigen*
[ʃ]	wie sch in Schule	s(t)j, ch	meisje [ˈmɛɪ̯ʃə] *Mädchen* machine [maˈʃiˑnə] *Maschine*
[t]	wie deutsches t, jedoch nicht behaucht	t, d	toch [tɔx] *doch*
[v̊]	ein Laut zwischen w in Wasser und f in fahren	v	voor [v̊oːr] *für*
[v]	wie w in Wasser, aber mit mehr Reibung	f	afbuigen [ˈɑvbəɣ̊ə(n)] *abbiegen*
[ʋ]	wie w in Wasser, aber mit weniger Reibung	w	water [ˈʋaːtər] *Wasser*
[x]	wie ch in lachen	ch, g	lachen [ˈlɑxə(n)] *lachen*
[z]	wie s in sausen	z	zon [zɔn] *Sonne*

Von den Schriftzeichen ausgehend, sind vor allem folgende **Unterschiede** zum Deutschen zu beachten:

Schrift-zeichen	Aussprache	Beispiele
g	= [ɣ̊]	geven [ˈɣ̊eːv̊ə(n)] *geben*
	= [x] im Auslaut und nach Frikativen und Explosiven (vgl. Assimilation)	weg [ʋɛx] *Weg*; afgeven [ˈɑfxeːv̊ə(n)] *abgeben*
	= [ɣ] vor b und d (vgl. Assimilation)	wegbrengen [ˈʋɛɣbrɛŋə(n)] *wegbringen*
	= [g] (wie im Deutschen) nur in einigen Fremdwörtern	gag [gæg] *Gag*
s	= [s]	som [sɔm] *Summe*
	= [z] (wie im Deutschen) nur vor b und d (vgl. Assimilation) und in Fremdwörtern	misdrijf [ˈmɪzdrɛɪ̯f] *Verbrechen* analyse [ɑnaˈliˑzə] *Analyse*

18

Schrift-zeichen	Aussprache	Beispiele
sch = [s] + [x] (nicht [ʃ]!)		sch**ip** [sxɪp] *Schiff*
= [s] in der Endung -isch		tra**gisch** [ˈtraːɣiˑs] *tragisch*
s(t)j = [ʃ] (wie deutsch **sch**)		**sjouwen** [ˈʃaũə(n)] *schleppen*
		kastje [ˈkaʃə] *Schränkchen*
sp, st = [s] + [p], [s] + [t] (wie norddeutsch)		**spelen** [ˈspeːlə(n)] *spielen*
		staan [staːn] *stehen*
z = [z] (nicht [ts]!)		**zoon** [zoːn] *Sohn*

Assimilationsregeln

1. Die Explosive und Frikative werden vor **b** und **d**, im Wort wie im Satz, **stimmhaft**:

Beispiele

[p] > [b]; [t] > [d]; [k] > [g] op**b**rengen [ˈɔbrɛŋə(n)] *aufbringen*
han**d**bal [ˈhandbɑl] *Handball*
za**kd**oek [ˈzagduˑk] *Taschentuch*

[f] > [v]; [s] > [z]; [ɣ̊] > [ɣ] af**b**rengen [ˈɑvbrɛŋə(n)] *abbringen*
hij is **d**ood [hɛɪ̯ ɪz doːt] *er ist tot*
weg**d**oen [ˈʋɛɣduˑn] *wegtun*

2. Die stimmhaften Frikative werden nach Explosiven und Frikativen **stimmlos**, im Wort wie im Satz:
nach **p, b** [p], **t, d** [t], **k**   oder
nach **f, s, ch** oder **g** [x]   werden

[v̊] > [f]   **v**allen [ˈv̊ɑlə(n)] *fallen*; aber:
weg**v**allen [ˈʋɛxfɑlə(n)] *wegfallen*

[z] > [s]   **z**enden [ˈzɛndə(n)] *senden*; aber:
op**z**enden [ˈɔpsɛndə(n)] *verschicken*

[ɣ̊] > [x]   **g**even [ˈɣ̊eːv̊ə(n)] *geben*; aber:
uit**g**even [ˈəɣtxeːv̊ə(n)] *ausgeben*

4. Einige weitere Besonderheiten der niederländischen Aussprache

1. **-en** [ə(n)]: in dieser Endung wird das [n] im freien Gespräch nicht ausgesprochen. Bei etwas feierlicherem Reden (Rundfunk, Predigt, Vortrag) ist es manchmal zu hören. (Die systematische Aussprache des

19

[n] in dieser Position gilt als Regionalismus: es gibt sie im Südwesten und Nordosten des Sprachgebietes).

2. **-d-**: zwischen zwei Vokalen geht -d- in der Umgangssprache oft in [j] oder, nach [u], in [ŭ] über: goede [ˈɣ̊uˑɪ̈ə] neben „schriftsprachlichem" [ˈɣ̊uˑdə] *gute*, houden [ˈhaŭə(n)] neben [ˈhaudə(n)] *halten.*

3. **-l-** ⎫ **+ Kons.**: zwischen -l- oder -r- und dem folgenden Konso-
   -r- ⎭ nanten (außer **d**, **t** und **s**) wird als Übergang ein farbloses [ə] gesprochen: melk [mɛl(ə)k] *Milch*, erg [ɛr(ə)x] *arg.*

4. **-t-**: zwischen Konsonanten fällt -t- oft aus: Kerstmis [ˈkɛrsmɪs] *Weihnachten*, postzegel [ˈpɔ(st)seːɣ̊əl] *Briefmarke.*

5. **-ig,** ⎫ : diese Suffixe werden mit [ə] gesprochen: lastig [ˈlɑstəx]
   -lijk ⎭ *lästig*, verschrikkelijk [v̊ərˈsxrɪkələk] *schrecklich.*

5. Groß- und Kleinschreibung

Grundsätzlich gilt im Niederländischen **Kleinschreibung.**
Groß geschrieben werden:

1. das erste Wort eines Satzes. Ist dies ein apostrophiertes Wort, so wird das zweite groß geschrieben: Wat is er? *Was ist?* – 's Nachts slaap ik. *Nachts schlafe ich.*

2. alle Eigennamen: Jan, Amsterdam usw.
Nicht aber Namen von Wochentagen, Monaten, Jahreszeiten und Himmelsgegenden: maandag *Montag*, maart *März*, zomer *Sommer*, het zuiden *der Süden.*

3. alle von Eigennamen abgeleiteten Adjektive und Substantive: Nederlands *niederländisch*, een Belg *ein Belgier.*

4. die Bezeichnungen für Gott und die dazugehörigen Pronomen.

5. Titel, oft auch die höfliche Anredeform U *Sie.*

6. Diakritische Zeichen

¨: das Trema gibt, wenn sonst Mißverständnisse möglich wären, bei zwei oder mehreren aufeinander folgenden Vokalen an, daß es sich um zwei Silben handelt: coördinatie [koˑoˑrdiˑˈnaː(t)siˑ] *Koordination*; aber kein Trema in: theoloog [teˑ(j)oˑˈloːx] *Theologe.*

Es fehlt aber nach den Diphthongen und Vokalverbindungen und in einigen fremden Endungen, z. B. museum [my·'zeːiəm] *Museum.*

ʹ : außer in einigen Fremdwörtern, z. B. café *Kneipe*, ist das Betonungszeichen nicht verbindlich, es kann aber ein Mittel zur Hervorhebung besonders betonter Silben sein.

In zwei Fällen kann es sogar Doppeldeutigkeit vorbeugen:
voor = *für* oder *vor*; **vóór** = *vor*
een = *ein* (Artikel [ən] oder Zahlwort [eːn]); **één** [eːn] = Zahlwort

7. Silbentrennung

Anders als im Deutschen wird im Niederländischen auch -st- getrennt:
bes-te = dt. be-ste.

Erklärung der grammatischen Fachausdrücke

Adjektiv	Eigenschaftswort: der *bunte* Papagei
adjektivisch	als Eigenschaftswort gebraucht
Adverb	Umstandswort: er spricht *richtig*
Adverbialpronomen	Umstandsfürwort: *davon, hiermit*
Apostroph	Auslassungszeichen: '
Artikel	Geschlechtswort: *der* Mann, *die* Frau, *das* Kind
Assimilation	Lautangleichung
Dativ	3. Fall, Wemfall: Er verspricht *ihr* goldene Berge.
Deklination	Beugung des Hauptwortes: *der Vater, des Vaters, dem Vater, den Vater*
deklinieren	die Beugung durchführen, beugen
Demonstrativpronomen	hinweisendes Fürwort: *dieser, jener, solcher*
diakritische Zeichen	die Aussprache angebende Zeichen: ʹ, ¨
Diminutiv	Verkleinerungswort: *Häuschen*
Diphthong	Zwielaut: *au, ei, eu, äu*
Explosivlaut	Verschlußlaut: *b, d, g, p, t, k*
Femininum	weiblich(en Geschlechts)
Finalsatz	Umstandssatz der Absicht: Er tut alles, *damit er ein Tonbandgerät bekommt.*
flektieren	beugen
Flexion	Beugung; *s.* Deklination, Konjugation
Frikativlaut	Reibelaut: *f, s, ch, g* [x] …
Futur	Zukunft(sform): ich *werde kommen*
Genitiv	2. Fall, Wesfall: die Erzeugnisse *des Landes*

Genus	grammatisches Geschlecht
Imperativ	Befehlsform: *geh(e)*!
Imperfekt	einfache Vergangenheitsform, 1. Vergangenheit: ich *fragte*
Indefinitpronomen	unbestimmtes Fürwort: *jemand, etwas*
Indikativ	Wirklichkeitsform: Der Mensch *denkt*, Gott *lenkt*.
Infinitiv	Nennform, Grundform: *backen, arbeiten*
Interrogativpronomen	Fragefürwort: *wer, wessen, wem, wen*
intransitiv	vom Zeitwort: kein Objekt bei sich habend, z. B.: *grübeln, gehen*
irreal	unwirklich (in bezug auf Bedingungssätze)
Kasus	Beugefall, Fall: *des Mannes, den Männern*
Kausalsatz	Umstandssatz des Grundes: Sie kann nicht kommen, *weil sie krank ist.*
Komparativ	1. Steigerungsstufe: schön*er*, größ*er*
Konditional	Bedingungsform: Unter Umständen *würden* wir es *versuchen.*
Konjugation	Beugung des Zeitwortes: *ich* gehe, *du* geh*st* ... usw.
konjugieren	die Beugung des Zeitwortes durchführen
Konjunktion	Bindewort: Er lachte, *als* er sie sah.
Konjunktiv	Möglichkeitsform: er *sei*, er *wäre*
Konsonant	Mitlaut: *b, d, s,* usw.
Konzessivsatz	Umstandssatz der Einräumung: Er will kommen, *obwohl er krank ist.*
Liquida	Bezeichnung für die Mitlaute *l* und *r*
Maskulinum	männlich(en Geschlechts)
Modalität	die Art und Weise des Geschehens; z. B. Notwendigkeit, Möglichkeit, Bedingtheit usw.
Modalverb	Hilfsverb, das eine bestimmte Modalität (s. o.) bedingt, z. B.: *sollen, dürfen*
Movierung	Bildung von weiblichen Personenbezeichnungen durch Ableitung von den entsprechenden männlichen: Student*in*
Nasal	durch die Nase gesprochener Laut: *m,* [ã:]
Neutrum	sächlich(en Geschlechts)
Nominativ	1. Fall, Werfall: *Der Mann* kauft ein Buch.
Objekt	Satzergänzung: Der Mann öffnet *die Tür.*
Orthographie	Rechtschreibung
Partizip	Mittelwort: *gebacken, backend*

Passiv	Leideform: Die Tür *wird* von dem Mann *geschlossen*.
Perfekt	1. zusammengesetzte Vergangenheitsform, 2. Vergangenheit: Er *hat* ein Buch *gelesen*.
Personalpronomen	persönliches Fürwort: *er, sie, wir* usw.
phonetisch	die Laute betreffend
Plural	Mehrzahl: *die* Kirsch*en*
Possessivpronomen	besitzanzeigendes Fürwort: *mein, dein, euer* usw.
Präfix	Vorsilbe: *ab*fahren, *an*kommen, *Ver*fall
Präposition	Verhältniswort: *auf, gegen, mit* usw.
Präsens	Gegenwart: *ich gehe*
Pronomen	Fürwort: *er, sie, es* usw.
reflexiv	rückbezüglich: *er* wäscht *sich*
Reflexivpronomen	rückbezügliches Fürwort: *mich, dich, sich* usw.
Relativpronomen	bezügliches Fürwort: Wo ist das Buch, *das* ich gekauft habe?
reziprok	wechselbezüglich, gegenseitig: *einander, sich, uns* usw.
Singular	Einzahl: *die, eine* Kirsche
Subjekt	Satzgegenstand: *Das Kind* spielt mit der Katze
Substantiv	Hauptwort: *der Tisch*
substantiviert	zum Hauptwort gemacht
substantivisch	als Hauptwort gebraucht
Suffix	Endung, Ableitungssilbe: Acht*ung*
Superlativ	2. Steigerungsstufe, Höchststufe: das schön*ste* Haus, *am* schön*sten*
Temporalsatz	Umstandssatz der Zeit: *Nachdem er gegrüßt hatte*, setzte er sich.
transitiv	vom Zeitwort, das den 4. Fall bei sich hat: *den Schüler* loben, *das Geheimnis* verraten
Trema	Trennungszeichen: ¨
Verb(um)	Zeitwort: *gehen, kommen*
Verbalsubstantiv	vom Zeitwort abgeleitetes Hauptwort: *Verfall*
Vokal	Selbstlaut: *a, e, i, o, u, ä, ö, ü*

1. Stunde

De morgenstond heeft goud in de mond 1 A

Meneer De Leeuw staat in de keuken en zet koffie. Hij vindt het niet erg alleen voor het ontbijt te zorgen.

Hij hoort lawaai boven; Hein zegt ongeduldig: ,,Arnout, schiet nou op! Ik heb je op tijd gewekt. Het is niet mijn schuld als je weer te laat op school komt, hoor!''

Arnout antwoordt slaperig: ,,Goed, goed, ik sta al op.'' Hein gaat al naar beneden. Hij is net als zijn vader erg stipt. ,,Morgen, pap. Is de post er al? Ik verwacht namelijk een brief.''

,,Ik weet het niet. Ga jij even kijken?''

Hein rent naar de deur en haalt een brief uit de brievenbus. Hij maakt hem vlug open en leest hem.

,,Nou kan ik met een gerust hart naar mijn werk. Marijke schrijft dat het erg fijn is in Duitsland en dat de mensen heel vriendelijk zijn. Jullie krijgen de groetjes. Zeg pap, ik ga. Het wordt vandaag zo warm en dan ga ik niet graag met de tram. Een wandeling is gezond. Dag pap.''

,,Tot vanavond, jongen.''

Erläuterungen 1 B

1. Der Artikel

Der **unbestimmte Artikel** lautet immer **een** [ən]: **een** appel **ein** Apfel. Er wird manchmal, in Anlehnung an die Aussprache, auch **'n** geschrieben.

Der **bestimmte Artikel:**

	Singular				Plural
de	man	**der**	Mann	**de**	mannen
	vrouw	**die**	Frau		vrouwen
	kast	**der**	Schrank		kasten
het	paard	**das**	Pferd		paarden

Der bestimmte Artikel lautet im Niederländischen also im Neutrum Singular **het**, sonst immer **de**.

Da das Niederländische keine Kasus mehr kennt, bleiben die Artikel unverändert: van de man des Mannes usw.

In der Schriftsprache findet sich noch manchmal **der** im Genitiv Singular weiblich und im Plural: de rol **van de** vrouw oder de rol **der** vrouw die Rolle **der** Frau.

2. Verb: das regelmäßige Präsens

Das Präsens ist im Niederländischen viel regelmäßiger als im Deutschen:

der **Plural** ist immer gleich Infinitiv!
im **Singular** gibt es nur wenige unregelmäßige Präsens-Formen (vgl. 2 B und 3 B).

werken *arbeiten*

Singular
1. ik **werk** also: = Stamm
2. jij, je werk**t** (*aber:* **werk** jij, je) = Stamm + **-t**
3. hij/zij, ze/het werk**t** = Stamm + **-t**

Plural
1. wij, we ⎫
2. jullie ⎬ **werken** ⎫⎬ = Infinitiv
3. zij, ze ⎭ ⎭

Höflichkeitsform: 2. U, u werk**t** = Stamm + **-t**

Es kommen hier natürlich die im ersten Kapitel erörterten Orthographieregeln der Doppel- bzw. Einfachschreibung der Vokale und Konsonanten zur Anwendung. Beispiele:

spelen *spielen* – ik speel, jij speelt ...
missen *vermissen* – ik mis, jij mist ...

Merke:

1. Die 1. Person Singular (= **ik**) besteht immer nur aus dem Stamm: also Infinitiv minus **-en**.
   Es gibt einige unregelmäßige Infinitive, nämlich gaan *gehen*, staan *stehen*, doen *tun* und zien *sehen*. Auch hier läßt sich der Stamm leicht finden, indem man nur **-n** abtrennt:
   gaan – ik ga, jij gaat ...
   doen – ik doe, jij doet ...

2. **jij, je** hat einen „Haken"(!): wenn es hinter dem Verb steht, verschwindet das **-t**:
   Werk je morgen? *Arbeitest du morgen?* – Dat **begrijp je** nog niet! *Das verstehst du noch nicht!*

26

3. **U, u:** Es gibt wie im Deutschen nur eine Höflichkeitsform, aber im Niederländischen steht diese immer mit einer Verbform im **Singular:** U **zingt** allemaal even slecht! *Sie singen alle gleich schlecht!*

Übungen 1–2

Weitere Besonderheiten:

1. **Infinitive auf -v- und -z-:**
   v und z kommen im Niederländischen nie im Auslaut und nie vor Konsonant vor: sie werden dann **f** bzw. **s** geschrieben:
   schrijven *schreiben* – ik schrij**f**, jij schrij**f**t ...
   lezen *lesen* – ik lee**s**, jij lee**s**t ...

2. **Infinitive auf -t-:**
   Das Niederländische kennt im Gegensatz zum Deutschen keine Doppelkonsonanz im Auslaut (vgl. das erste Kapitel): das **-t** der 2. und 3. Person Singular und der Höflichkeitsform entfällt daher. (Es wird ja in diesem Fall auch nicht gesprochen). Beispiel:
   wachten *warten* – ik wach**t**, jij wach**t** ...

3. **Infinitive auf -d-:**
   Hier ist wieder alles „normal": das **-t** wird in diesen Fällen in strenger Analogie mit Fällen wie **je werkt** geschrieben (obwohl es nicht gesprochen wird):
   antwoorden *antworten* – ik antwoor**d**, jij antwoor**dt** ...

Übungen 3–4

3. Personalpronomen: die Subjektformen

Zu den weiter oben im Schema aufgeführten Pronomina folgende Bemerkungen:

1. **jij, je** ⎫ : im Normalfall sind sie unbetont und werden [jə],
   zij, ze ⎬ [zə] bzw. [ʋə] gesprochen. Beim Schreiben hat man
   wij, we ⎭ trotzdem die Wahl: **jij** oder **je** usw.
   Nur bei besonderer Betonung, die ja auch im Deutschen möglich ist, werden sie mit Diphthong [ɛï] gesprochen. Dann muß man auch auf jeden Fall die vollen Formen **jij** usw. schreiben:
   Jij [jɛï] hebt dat gedaan! *Du hast das getan!* – **Zij** [zɛï] komen, **wij** [ʋɛï] niet! *Sie kommen, wir nicht!*

2. **hij:** wird immer [hɛï] gesprochen.
   Ausnahme: wenn es nach einem Verb, nach einer Konjunktion oder nach einem anderen Pronomen steht, wird es [iˑ] gesprochen:
   Waar blijft **hij**? *Wo bleibt er?*
   Die entsprechende konsequente Schreibung **-ie** ist selten. Nur bei Betonung wird es in dieser Position [hɛï] gesprochen:
   Heeft **hij** [hɛï] dat gedaan? *Hat er das getan?*

3. **U, u:** die Höflichkeitsform wird oft groß geschrieben (vgl. das erste Kapitel).

Übungen   1 C

1. Bilden Sie den Plural der Verbformen. Nach dem Modell: Ik zet koffie. – Wij zetten koffie.
Vind je het erg? – Zij schiet niet op. – Ik sta nog niet op. – Hij leest een brief. – Ik wek je op tijd. – Schrijf jij brieven?

2. Bilden Sie den Singular der Verbformen. Nach dem Modell: We gaan naar beneden. – Ik ga naar beneden.
Wij zorgen voor het ontbijt. – Zij staan al op. – We horen lawaai. – Wekken jullie hem morgen? – Ze zeggen niets meer. – Gaan jullie kijken? – Jullie krijgen de groetjes. – Zij doen alles voor mij.

3. Bilden Sie den Singular der Verbformen (nach dem vorigen Modell):
Wij maken de brievenbus open. – Zij lezen de brief. – Zij verwachten de postbode. – Wat zeggen jullie? – We gaan niet graag met de tram. – Wat schrijven ze? – Jullie vinden het toch niet erg? – Wij weten het niet. – Waarom antwoorden jullie niet? – Jullie kijken niet!

4. Bilden Sie die Höflichkeitsform. Nach dem Modell: Jullie zorgen voor het ontbijt! – U zorgt voor het ontbijt!
Jullie worden weer gezond! – Sta je op? – Je krijgt de groetjes. – Verwachten jullie een brief? – Jullie rennen zo vlug!

1 D

de **morgenstond heeft goud** [xɑut]
in de mond die Morgenstunde hat Gold im Munde
meneer, mijnheer [mə'ne:r] **(X.)** Herr (X.)
staat (er, sie, es) steht
keuken ['kø:kə(n)] Küche
en und
zet koffie (er, sie, es) kocht Kaffee
hij [hɛï] er
het [hət] es
niet nicht
erg ['ɛr(ə)x] schlimm
het ontbijt [ɔnd'bɛït] das Frühstück
te zu
het lawaai [lɑ'ʋa:ï] der Lärm
boven oben
zegt [zɛxt] (er, sie, es) sagt
ongeduldig [ɔnɣə'dəldəx] ungeduldig
schiet op! [sxi·t ɔp] beeile dich!
nou [nɑü] nun, jetzt
je [jə] dich

op tijd [tɛït] rechtzeitig
mijn [mɛïn, mən] mein(e)
schuld [sxəlt] Schuld
als wenn
weer wieder
te laat zu spät
op school (komen) in die Schule (kommen)
hoor! hörst du!
antwoordt (er, sie, es) antwortet
slaperig ['sla:pərəx] schläfrig
goed [ɣu·t] gut
ik sta op ich stehe auf
al schon, bereits
gaat (er, sie, es) geht
naar beneden [bə'ne:də(n)] hinunter, herunter
net als genau wie
erg sehr
stipt pünktlich
(goede ['ɣu·ïə]**) morgen** guten Morgen!
pap(a) Papa

28

er da
ik verwacht ich erwarte
namelijk ['na:mələk] nämlich
ik weet ich weiß
ga jij? gehst du?
even ['e:v̆ə(n)] mal
kijken ['kɛĭkə(n)] gucken, schauen
deur [dø:r] Tür
haalt (er, sie, es) holt
uit [əүt] aus
brievenbus ['bri·v̆ə(n)bøs] Briefkasten
maakt open (er, sie, es) macht auf
vlug [v̆løx] schnell
hem [əm] ihn
gerust [ỹə'rəst] ruhig, beruhigt
het hart das Herz
naar nach, zu
het werk die Arbeit

schrijft [sxrɛĭft] (er, sie, es) schreibt
de mensen die Leute
heel sehr
vriendelijk ['v̆ri·ndələk] freundlich
zijn [zɛĭn] (sie) sind
jullie krijgen ihr bekommt
groetjes ['ỹru·tĭəs] Grüße
zeg sag(e) mal, du
het wordt es wird
vandaag [v̆ɑn'da:x] heute
graag gerne
ik ga met de tram [trɛm] ich fahre mit
  der Straßenbahn
wandeling ['v̆ɑndəlıŋ] Spaziergang
gezond [ỹə'zɔnt] gesund
tot [tɔt] bis
vanavond [v̆ɑn'a:v̆ənt] heute abend

2. Stunde

Na schooltijd

Arnout is blij dat het vrijdagmiddag is en de lessen bijna afgelopen zijn. Hij heeft het laatste uur de hele tijd op zijn horloge gekeken.

Hij heeft het warm. De ramen van de klas staan open en de zon schijnt in zijn gezicht.

Gewoonlijk let hij op, maar met zo'n mooi weertje is het moeilijk stil te zitten en te luisteren.

Karel, zijn vriend, zit vóór hem en maakt ijverig aantekeningen. Dat schrijf ik thuis wel van hem over, denkt Arnout. Als de bel rinkelt haast iedereen zich naar buiten. Vóór de school overleggen de twee vrienden wat ze tot het avondeten kunnen doen.

„Laten we gewoon een eindje fietsen", stelt Karel voor.

„Mij best", zegt Arnout, „ik heb geen zin om nu al naar huis te gaan." Ze fietsen op hun gemak en genieten van de warme zon.

„Ik hou van de zomer", zegt Arnout.

„Je hebt gelijk!", zegt Karel.

1. Substantiv: Plural -en

Allgemeines: Auch die Pluralbildung der Substantive ist einfacher als im Deutschen. Dazu zwei Feststellungen:
1. Das Niederländische bildet **immer** den Plural mittels einer Endung, folglich sind Formen wie dt. *der Lehrer – die Lehrer* im Niederländischen unmöglich.

2. Umlaut kommt praktisch nicht vor, d. h. der Stamm bleibt grundsätzlich unverändert. Vgl. für die wenigen Ausnahmen unter 2.

-en ist die häufigste Pluralendung. Auch hier gelten natürlich die bekannten Orthographieregeln. Beispiele:
beek *Bach* – beken; **maand** *Monat* – maanden; **as** *Achse* – assen.

Besonderheiten (vgl. weiter auch 12 B und 15 B):
1. Substantive auf **-f** und **-s**: ähnlich wie bei den Verben (vgl. 1 B), aber jetzt umgekehrt, gilt hier eine Regel in bezug auf **-v-** und **-z-**: **-f, -s** werden zu **-v-** bzw. **-z-**:
   a) nach **-l-** und **-r-**, Beispiele:
      laars *Stiefel* – laarzen; hals *Hals* – halzen
   Ausnahme, wo **-s** bleibt: kaars *Kerze*, kers *Kirsche* und pols *Puls*.
   b) nach einem langen Vokal, nach einem Diphthong und nach jedem kurzen, aber durch eine Vokalverbindung wiedergegebenen Vokal:
      neus *Nase* – neuzen   doos *Dose, Schachtel* – dozen
      duif *Taube* – duiven   dief *Dieb*   – dieven
   Ausnahmen, wo **-s** bzw. **-f** bleiben: fotograaf *Fotograf* und kous *Strumpf*.

   Sonst, d. h. nach jedem kurzen, einfach geschriebenen Vokal und nach Konsonant (außer **-l-** und **-r-**), bleiben **-f-** und **-s-**:
      stof *Stoff* stoffen   mens *Mensch* – mensen

Übung 1

2. Einige Substantive wechseln den Stammvokal im Plural. Die frequentesten sind:
das Suffix **-heid** wird immer **-heden**: gelegen**heid** *Gelegenheit* – gelegen**heden**

dag	*Tag*	– dagen
het dak	*Dach*	– daken
het dal	*Tal*	– dalen
het gat	*Loch*	– gaten
het glas	*Glas*	– glazen

het pad	*Pfad*	– paden
slag	*Schlag*	– slagen
het verdrag	*Vertrag*	– verdragen
stad	*Stadt*	– steden
weg	*Weg, Straße*	– wegen
het lid	*(Mit-)Glied*	– leden
het schip	*Schiff*	– schepen
oorlog	*Krieg*	– oorlogen

Übung 2; Allgemein: *Übung 3*

2. Verb: das unregelmäßige Präsens von „hebben" und „zijn"

	hebben *haben*	**zijn** *sein*
Singular:		
1. ik	**heb**	**ben**
2. jij, je	**hebt**	**bent**
heb jij, je		**ben** jij, je
3. hij/zij, ze/het	**heeft**	**is**
Plural (= Infinitiv):		
1. wij, we		
2. jullie	**hebben**	**zijn**
3. zij, ze		
Höflichkeitsform:		
2. U, u	**heeft, hebt**	**is, bent**

Übungen 4–5

3.
> **geen** ist unveränderlich = kein(e, -er)
> Ik heb **geen** zin. – Hij maakt **geen** aantekeningen.
> *Ich habe keine Lust. – Er macht keine Notizen.*

Übungen   2 C

1. Bilden Sie den Plural. Nach dem Modell: De fles valt. – De flessen vallen.
Het huis is mooi. – Ik verwacht een brief. – Hij heeft de kous verloren. – De bus stopt. – Heb je geen zin in een kers?

2. Bilden Sie den Plural. Nach dem Modell: Ik breek een glas. – We breken glazen.
Hij hoort een slag. – De dag gaat vlug voorbij. – Ik zie een gat in het dak. – De stad legt een weg aan. – De verantwoordelijkheid is groot.

3. Bilden Sie den Plural. Nach dem Modell: Mijn vriend antwoordt niet. – Mijn vrienden antwoorden niet.

Een wandeling is gezond. – De school is uit. – De bel rinkelt. – De les is afgelopen. – Bij verliefdheid klopt het hart vlugger. – Hij wacht al een uur. – Het raam staat open. – De man maakt de deur open.

4. Bilden Sie den Singular. Nach dem Modell: Wij zijn laat. – Ik ben laat.

Hebben jullie honger? – We letten gewoonlijk op. – Zij hebben het warm. – Jullie zijn zo laat! – De lessen zijn bijna afgelopen. – Wij houden van de zomer. – Zij fietsen veel. – De wegen zijn mooi.

5. Bilden Sie die Höflichkeitsform. Nach dem Modell: Jullie zijn zo laat! – U bent zo laat! U is zo laat!

Hier heb jij het geld. – Jullie zijn erg vriendelijk. – Hebben jullie gewacht? – Je bent erg stipt. – Hebben jullie honger?

6. Übersetzen Sie: Er hat die ganze Zeit auf die Uhr geschaut. – Sie hören nicht zu. – Er öffnet die Türen. – Sie kochen Kaffee in der Küche. – Es wird heute sehr warm. – Ich gehe nach Hause. – Er liest die Briefe. – Die Post ist schon da. – Er hat keine Lust, sich heute zu beeilen.

2 D

na nach
blij [blɛĭ] froh
de lessen die Lektionen; *hier:* der Unterricht
bijna beinahe, fast
afgelopen abgelaufen
het uur [yːr] die Stunde
laatste letzte(r, -s)
de hele tijd die ganze Zeit
het horloge [hɔrˈloːʒə] die Uhr
gekeken [ɣ̊əˈkeːkə(n)] geguckt, geschaut
hij heeft het warm ihm ist warm
het raam das Fenster
open offen
gewoonlijk [ɣ̊əˈʋoːnlək] (für) gewöhnlich
hij let op er paßt auf
maar aber
zo'n [zoːn] so ein
mooi [moːĭ] schön
het weer(tje) das Wetter
moeilijk [ˈmuˑĭlək] schwierig
luisteren [ˈlœystərə(n)] zuhören
vriend Freund
vóór vor
ijverig [ˈɛĭv̊ərəx] eifrig
aantekeningen *pl.* Aufzeichnungen, *pl.* Notizen *pl.*

ik schrijf over ich schreibe ab
thuis [tœys] zu Hause
wel wohl
bel Klingel
rinkelt (er, sie, es) läutet
iedereen [ˈiˑdəreːn] jedermann
haast zich (er, sie, es) beeilt sich
buiten [ˈbœytə(n)] draußen
twee zwei
het avondeten [ˈaːv̊ənteːtə(n)] das Abendessen
laten we laßt uns
gewoon einfach
het eindje [ˈɛĭntĭə] das Stückchen
fietsen radfahren
stelt voor (er, sie, es) schlägt vor
mij best mir ist es recht
ik heb geen zin ich habe keine Lust
nu [nyˑ] nun, jetzt
naar huis nach Hause
op hun [hən] gemak gemächlich
ik hou(d) van ich liebe, ich mag
zomer [ˈzoːmər] Sommer
je hebt gelijk [xəˈlɛĭk] du hast recht
fles Flasche
kous [kaus] Strumpf
kers Kirsche
het gat das Loch

3. Stunde

Een misverstand

„Zeg mam, weet jij waar mijn donkere pak is? Ik moet naar een trouwfeest en dan wil ik er toch netjes uitzien. Mijn kast was zo vol dat ik het een paar maanden geleden in pap's kast heb weggehangen.
Op de uitnodiging staat wel niet dat avondkleding verplicht is, maar ik kan slecht in trui en broek gaan!"
„Als we samen zoeken, vinden we het vast. Hé, wat vreemd, op het eerste gezicht zie ik het ook niet.
Nee hoor, het is er echt niet. Ik durf haast te zweren dat pap dat pak eergisteren per ongeluk meegenomen heeft."
„Dat is echt iets voor hem. Wanneer komt hij van zijn dienstreis thuis?"
„Hij heeft tegen mij gezegd dat hij in de namiddag terugkomt."
„Mam, mag ik pap in Hamburg opbellen? Ik weet dat zo'n telefoongesprek duur is, maar ik wil er toch zeker van zijn of hij mijn pak meegenomen heeft. Ik zal het kort maken."
„Ja hoor, natuurlijk mag je dat. Ik kan me voorstellen dat je er helemaal zeker van wil zijn."

Erläuterungen

1. Die modalen Verben: ihre Bedeutung

Diese sehr frequenten Verben weichen z. T. in ihrer Bedeutung vom Deutschen ab. Zunächst die Übereinstimmungen:

kunnen = können		**moeten** = müssen	
laten = lassen		**willen** = wollen	

aber:	sollen	= **moeten**
	dürfen	= **mogen**
	mögen	= **houden van**, manchmal auch **mogen**
	werden	= 1. Futur: **zullen**; 2. Hilfsverb und Passiv: **worden**

Merke: ndl. **durven (te)** = wagen zu, sich trauen zu
Es ist im Niederländischen kein modales Verb und wird ganz regel-

mäßig konjugiert: **Ik durf** niet (te) protesteren. *Ich wage es nicht zu protestieren.*
Im Niederländischen haben nur vier dieser Verben ein unregelmäßiges Präsens (vgl. 2.).

2. Verb: das unregelmäßige Präsens: modale Verben und „komen"

Drei der vier (nur im Singular!) unregelmäßigen modalen Verben haben immer **Stamm mit a** ohne irgendwelche Endung.
Daneben gibt es fakultativ für die 2. Person Singular und für die Höflichkeitsform die regelmäßige Form (bei **mogen** allerdings sehr selten):

kunnen, mogen, zullen

Singulaı:	a	
1. ik ⎫	kan,	⎧ kunt (kun jij, je)
2. jij, je ⎬	mag, oder: jij, je	⎨ zult (zul jij, je)
3. hij/zij, ze/het ⎭	zal	⎩ (moogt) (———)

Plural (= Infinitiv):
1. wij, we ⎫
2. jullie ⎬   **kunnen, mogen, zullen**
3. zij, ze ⎭

Höflichkeitsform: **a**
2. U, u **kan, mag, zal** oder: U, u **kunt, (moogt), zult**

Das vierte unregelmäßige modale Verb ist **willen**. Auch hier gibt es nur eine Singularform, nämlich den Stamm, und daneben wiederum fakultativ für die 2. Person Singular und für die Höflichkeitsform die regelmäßige Form:

Singular:
1. ik ⎫
2. jij, je ⎬   **wil**   oder: jij, je **wilt (wil** jij, je)
3. hij/zij, ze/het ⎭

Plural (= Infinitiv): 1. wij, we; 2. jullie; 3. zij, ze **willen**

Höflichkeitsform: 2. U, u **wil(t)**

Das letzte unregelmäßige Verb ist **komen** *kommen:* im Singular hat es einen kurzen Stamm:

Singular		Plural	
1. ik	kom	wij, we ⎫	
2. jij, je	komt (kom jij, je)	jullie ⎬ **komen**	
3. hij/zij, ze/het	komt	zij, ze ⎭	

Höflichkeitsform: U, u **komt**

3. Das Genus

Es gibt im Niederländischen nur **de-** und **het**-Wörter (vgl. 1 B).
Die **de-Wörter** gelten allgemein als **männlich**:
    de boom: **hij** staat in bloei   *der Baum: er blüht*
    de deur: **hij** staat open   *die Tür: sie steht offen*

Weiblich sind nur noch

1. die weiblichen Lebewesen:
    de vrouw: **ze** heeft twee kinderen *die Frau: sie hat zwei Kinder*
Bei weiblichen Tieren kommt aber manchmal auch das männliche Pronomen vor (!):
    de koe: **zij** (oder: **hij**) geeft melk *die Kuh: sie gibt Milch*

2. Sachnamen mit bestimmten Endungen (darunter viele Abstrakta), die auch im Deutschen weiblich sind. Es handelt sich dabei vor allem um: **-heid, -ie, -ing** und **-schap**:
    de waarheid: **zij** overwint *die Wahrheit: sie siegt*

Sächlich, d. h. **het-Wörter,** sind im allgemeinen die Wörter, die es im Deutschen auch sind: vgl. **het** boek *das Buch*, **het** been *das Bein* usw.
Es gibt aber auch Abweichungen: man sollte sich diese beim Lernen des betreffenden Wortes merken. Beispiele:

de auto	*das Auto*	**de** knie	*das Knie*
de datum	*das Datum*	**de** maat	*das Maß, die Größe*
de kin	*das Kinn*	**de** olie	*das Öl*

Andererseits gibt es auch Wörter, die im Niederländischen **sächlich** sind, im Deutschen aber nicht. Hierzu einige Regeln:

1. die Verbalsubstantive mit den Präfixen **be-, ge-, ont-** und **ver-:**
    het bezoek   *der Besuch*   **het** gebruik   *der Gebrauch*
    het ontwerp   *der Entwurf*   **het** verkeer   *der Verkehr*

2. die Namen der Himmelsgegenden:
    het noorden *der Norden*

3. die Wörter auf **-isme: het** socialisme *der Sozialismus*

Übungen   3 C

1. Bilden Sie den Singular. Nach dem Modell: Jullie mogen komen. – Je mag komen.
Wij komen niet. – Jullie kunnen het pak ook meenemen. – We durven het niet zeggen. – Jullie moeten samen zoeken. – Ze willen er netjes

uitzien. – Zij durven het haast te zweren. – We laten de fiets buiten staan. – De uitnodigingen komen te laat. – Zij zullen de trui niet vinden. – Jullie kunnen ook morgen komen. – Laten jullie de broek reinigen? – Mogen wij een eindje fietsen?

2. Bilden Sie die Höflichkeitsform. Nach dem Modell: Jullie laten alles liggen! – U laat alles liggen!
Wil je ook komen? – Jij mag hem ook opbellen. – Wanneer komen jullie terug? – Je moet voor het ontbijt zorgen! – Houden jullie van vis (*Fisch*)?

3. Übersetzen Sie: Wir müssen den Anzug finden. – Er will ganz sicher sein. – Sie kommt zu spät. – Was werdet ihr tun? Wir wollen anrufen. Das Gespräch wird nicht sehr teuer sein. Ihr dürft ruhig anrufen. – Er wird schläfrig. – Ich kann es auch nicht sehen. – Sie (= *U*) sollen zuhören und aufpassen! – Du mußt mich rechtzeitig wecken. – Müssen wir schon aufstehen? – Magst du den Sommer? – Ich werde nicht kommen.

3 D

het misverstand das Mißverständnis
waar? wo?
donker dunkel
het pak der Anzug
moeten [ˈmu·tə(n)] müssen
het trouwfeest [ˈtrɑŭfeːst], **bruiloft** [ˈbrəʏlɔft] das Hochzeitsfest
eruitzien [ɛˈrəʏtsi·n] aussehen
netjes ordentlich, anständig
kast Schrank
pap's Papas, von Papa
een paar maanden geleden vor ein paar Monaten
uitnodiging [ˈəʏtnoːdəɣɪŋ] Einladung
trui Pullover
broek [bru·k] Hose
samen [ˈsaːmə(n)] zusammen
zoeken suchen
vast sicher(lich)
wat vreemd wie merkwürdig
op het eerste gezicht auf den ersten Blick
ook auch
echt echt; *Adverb:* wirklich
durven [ˈdərv̊ə(n)] wagen, sich trauen
haast fast, beinahe
zweren schwören
eergisteren vorgestern
per ongeluk [ˈɔnɣələk] irrtümlicherweise
meegenomen mitgenommen
iets etwas
wanneer? wann?
tegen mij mir (*wörtlich:* gegen mich)
namiddag [naːˈmɪdɑx] Nachmittag
terugkomen [təˈrəxkoːmə(n)] zurückkommen
mag ik? darf ich?
opbellen anrufen
duur [dyːr] teuer
zeker [ˈzeːkər] sicher
er ... van davon
ik zal ich werde
kort kurz
natuurlijk [nɑˈtyːrlək] natürlich
helemaal [ˈheːləmaːl] ganz, völlig

4. Stunde

Een onverwachte ontmoeting

Hein zucht. Hij loopt met zijn handen in zijn zakken langs de winkels. Het is druk op straat. Veel mensen gaan hem voorbij zonder dat hij het merkt.
Het was hem echt aan te zien dat Marijke en hij ruzie gehad hadden.
Hoe moeilijk is het soms om een vrouw te begrijpen, denkt hij.
Opeens voelt hij een stevige schouderklop. Iemand zegt: „Wie hebben we daar! Hein, kerel, ik heb jou in geen tijden gezien! Hoe gaat het met jou?"
Hein grinnikt en beantwoordt de begroeting met een handdruk. „Dag Gerrit. Fijn jou te zien. Wat een toeval dat wij elkaar op een dinsdag in de stad zien. Laten we daar iets op drinken. Ik ken een leuk cafeetje, niet ver hier vandaan."
„Ik was eigenlijk op weg naar huis", zegt Gerrit.
„Waar kom je vandaan?" vraagt Hein, „Heb je echt geen tijd?"
„Ik kom net van het station. Maar goed, ik ga even mee."
Het café is gezellig ingericht, het is niet groot, maar op dit uur zijn er ook niet veel gasten, er is dus genoeg plaats voor ze. De kelner kent Hein: hij is er stamgast. „Graag een biertje, ober. En wat drink jij, Gerrit?" „Voor mij hetzelfde, asjeblieft."

Erläuterungen

1. Personalpronomen: die Objektformen

Neben den Subjektformen (vgl. 1 B) gibt es bei den meisten Personalpronomen noch eine Objektform (weitere Kasus gibt es nicht). Bei **het, jullie** und **U, u** ist diese mit der betreffenden Subjektform identisch.

Subjekt		Objekt
Singular		
1. ik		**mij, me**
2. jij, je		**jou, je**
3. hij		**hem**
zij, ze		**ze**; bei Personen auch: **haar**
het	=	het

37

Subjekt		Objekt
Plural		
1. wij, we		**ons**
2. jullie	=	jullie
3. zij, ze		**ze;** bei Personen auch: **hen;** als 2. Objekt: **hun**

Höflichkeitsform: 2. U, u = U, u

Bemerkungen:

1. **mij, me:** Ähnlich wie bei den Subjektformen ist hier die unbetonte Aussprache [mə] die Regel, obwohl auch hier beide Formen geschrieben werden können.
Die volle Form [mɛĭ] findet sich auch hier nur bei besonderer Betonung, sie wird immer **mij** geschrieben.

2. **jou, je:** hier entspricht die Schreibung der Aussprache: in der Regel je [jə], bei Betonung jou [jɑŭ].

3. **hen, hun:** sie sind weniger gebräuchlich als ze und gehören mehr der Schriftsprache an.

2. Objekt: einige Verben haben neben einem 1. Objekt (im Deutschen: Akkusativobjekt) ein 2. Objekt (hier könnte man, vom Deutschen aus gesehen, von einem Dativ im eigentlichen Sinne sprechen). Dieses 2. Objekt lautet dann bei Personen entweder ze oder **hun:**
Ik geef ze (oder: **hun**) het boek. *Ich gebe ihnen das Buch.*
Sonst hat man bei Personen die Wahl zwischen ze oder **hen:** Er is plaats genoeg voor ze (oder: **hen**). *Es gibt Platz genug für sie.*

Übungen 1–3

2. Verb: die Vergangenheitsformen von „hebben" und „zijn"

Wie im Deutschen sind die Vergangenheitsformen von **hebben** und **zijn** unregelmäßig:

Imperfekt	**hebben**	**zijn**
Singular		
1. ik		
2. jij, je }	**had**	**was**
3. hij/zij, ze/het		

Imperfekt	hebben	zijn
	Plural	

1. wij, we		
2. jullie	hadden	waren
3. zij, ze		

Höflichkeitsform: 2. U, u **had** – **was**

Perfekt: (ik heb, usw.) **gehad**; (ik ben, usw.) **geweest**

Übung 4

3.
Singular	**er is**	} = es gibt	**er was**	} = es gab
Plural	**er zijn**		**er waren**	

Er is geen melk meer.   *Es gibt keine Milch mehr.*
Er waren veel boeken.   *Es gab viele Bücher.*

4. Die Interrogativpronomen

wie?	= wer, wem, wen, wessen?
wat?	= was?
waaraan, waarin, …?	= woran, worin…?
wat voor (een)?	= was für (ein[e], -en…)?
welk(e)?	= welche(r, -s…)?

Wie is dat? *Wer ist das?* – **Wat** is er? *Was gibt es?* – **Waaraan** denk je? *Woran denkst du?* – **Wat voor** problemen heb je? *Was für Probleme hast du?* – **Welke** naam is de mooiste? *Welcher Name ist der schönste?* – **Welk** boek heb je nog niet gelezen? *Welches Buch hast du noch nicht gelesen?*

Anmerkungen:

1. **wie** wird grundsätzlich nicht gebeugt. Der deutsche Genitiv und Dativ (als 2. Objekt!) werden meistens mittels Präpositionen wiedergegeben:
Van wie is dat boek? *Wessen Buch ist das?* – **Aan wie** hebben zij dat gegeven? *Wem haben sie das gegeben?*
Nur schriftsprachlich findet sich manchmal noch **wiens** *wessen* und **wier** *wessen* (Plural und weiblich Singular).

2. Bei **welk(e)** gilt dasselbe Schema wie beim Artikel (vgl. 1 B), d. h. eine Form für das Neutrum Singular, nämlich **welk,** sonst immer **welke.**

1. Bilden Sie den Plural. Nach dem Modell: Ik zie haar niet. – Wij zien ze niet.
Ik hoor hem. – Er is geen plaats meer voor jou. – Hij denkt veel aan haar. – Ik zal U opbellen. – Zij begrijpt me niet. – Heb je het haar gezegd? – Is er nog een glas voor mij? – De stad interesseert haar niet.

2. Bilden Sie den Singular. Nach dem Modell: Zij gaan ons voorbij. – Hij gaat mij voorbij.
We hadden ruzie met ze. – Jullie moeten het hun geven. – Wij hadden jullie niet gezien. – Zij vragen hun de weg. – Gaat U met ons mee? – Wat mogen wij voor jullie bestellen?

3. Ersetzen Sie das Substantiv durch ein Personalpronomen. (*Achtung: Genus! Vgl.* 3 *B*). Nach dem Modell: Ze kennen een café. – Ze kennen het.
Wij laten de fiets buiten. – Ik verwacht een brief. – Zie je de huizen niet? – Je begrijpt Marijke niet! – Laat de deur open! – Zij horen de bel niet. – Ik heb zijn ontwerp gezien. – Ik heb mijn geld verloren. – Ik zoek mijn pak. – Neem je de uitnodiging aan? – Hij maakt een raam open.

4. Bilden Sie das Imperfekt und das Perfekt. Nach dem Modell: Ik ben blij. – Ik was blij. – Ik ben blij geweest.
Het is druk op straat. – Je hebt gelijk! – Zij hebben het te warm. – Mijn kast is vol. – We hebben ruzie. – Er is geen bier meer. – De lessen zijn niet zo moeilijk. – Heeft U honger? – Ik heb geen geld meer.

5. Übersetzen Sie: Du verstehst mich manchmal nicht! – Woran denken Sie? – Die Kneipe war nicht weit weg von hier. Sie war klein, aber gemütlich. Es waren zu dieser Stunde nicht viele Gäste da. – Wollen Sie nicht warten? – Mit wem haben Sie Streit gehabt? – Wie freundlich war er? – Hattet ihr wieder keine Zeit? – Wie spät war es? Seid ihr auch pünktlich gewesen? Wir waren zu spät, wir hatten nämlich noch keine Lust, schon nach Hause zu gehen. – Was schlägst du vor? – Wie geht's dir? – Wo kommen Sie her?

onverwacht unerwartet
ontmoeting [ɔntˈmuˑtɪŋ] Begegnung
zuchten [ˈzɵxtə(n)] seufzen
lopen laufen
zak Tasche
langs entlang
winkel Geschäft, Laden
druk [drɵk] lebhaft, belebt
zonder ohne
ruzie [ˈryˑziˑ] hebben Streit haben
hoe [huˑ] wie

soms manchmal
opeens [ɔpˈeːns] plötzlich
voelen [ˈṼuˑlə(n)] fühlen, (ver)spüren
stevig [ˈsteːṼəx] kräftig
schouderklop [ˈsxɑudərklɔp] Schlag auf die Schulter
iemand [ˈiˑmɑnt] jemand
wie? wer? wen? wem? wessen?
in geen tijden [ˈtɛïdə(n)] seit einer Ewigkeit nicht mehr
hoe gaat het met jou? wie geht's dir?

grinniken [ˈɣrɪnəkə(n)] grinsen
begroeting Begrüßung
handdruk Händedruck
het toeval der Zufall
elkaar [ɛlˈkaːr] einander
dinsdag Dienstag
leuk [løːk] nett
het café, het cafeetje die Kneipe,
die Wirtschaft
ver weit
niet ver hier vandaan nicht weit weg
von hier
eigenlijk [ˈɛiɣələk] eigentlich

op weg [ʋɛx] auf dem Wege
waar ... vandaan? woher?
net gerade
het station [staˈsĩɔn] der Bahnhof
meegaan mitgehen
gezellig [ɣəˈzɛləx] gemütlich
op dit uur [yːr] zu dieser Stunde
er zijn, er is es gibt
dus [dəs] also
hetzelfde dasselbe
asjeblieft [ˈɑʃəbliˑf(t)] bitte (sehr)
(beim Duzen)
het ontwerp der Entwurf

5. Stunde

In een bloemenwinkel

Mevrouw De Leeuw is op weg naar een kennis. Ze zien elkaar
regelmatig. Op straat komt zij Arnout tegen.
„Waar ga je naartoe, mam?", vraagt hij. „Naar Ans. Heb jij
zin om mee te gaan?"
„Nee, ik moet de buren helpen met het opknappen van een oude
bromfiets. Dat heb ik ze beloofd. Wanneer kom je thuis?"
„Vanavond, vóór het avondeten. Ik moet me haasten. Ik wil
nog een bos bloemen kopen. Dag!" „Tot straks, mam."
In de bloemenwinkel vraagt de juffrouw: „Dag mevrouw. Kan
ik U van dienst zijn?"
„Ik zou graag een bloemetje willen meenemen. Mag ik even
rondkijken?"
„Natuurlijk, gaat U Uw gang!"
„Wat zijn dat voor bloemen, juffrouw?"
„Dat zijn kleine roosjes. In de hoek staan de planten: geraniums,
asters, viooltjes."
Mevrouw De Leeuw bedenkt zich even. „Hoeveel kosten die
rode anjers?"
„Ze kosten vijftig cent per stuk."
„Geeft U mij alstublieft tien stuks."
„Dat is dan vijf gulden. Vriendelijk bedankt en tot ziens,
mevrouw."
„Dag juffrouw."

Ans woont in een modern flatgebouw.
„Goedemiddag, Lies." „Dag Ans. Kom binnen."
„Asjeblieft, ik heb een bloemetje voor je meegebracht."
„Wat leuk! Dank je wel! Hoe gaat het ermee?"
„Goed, dank je. En met jou?"
„Ook goed. Het is wel erg rustig nu de kinderen het huis uit zijn, maar ik verveel me nooit. Ik heb nu eindelijk wat meer tijd voor mezelf."

Erläuterungen 5 B

1. Das Reflexivpronomen

Das Reflexivpronomen ist wie im Deutschen grundsätzlich mit den entsprechenden Objektformen (vgl. 4 B) identisch. Die Ausnahme **zich** stimmt mit dem Deutschen überein, die andere betrifft **je**:

ik was **mij** (od. **me**)	*ich wasche mich*
jij wast **je**	*du wäschst dich*
hij/zij/het wast **zich**	*er/sie/es wäscht sich*
wij wassen **ons**	*wir waschen uns*
jullie wassen **je**	*ihr wascht euch*
zij wassen **zich**	*sie waschen sich*
U wast **zich**	*Sie waschen sich*

Übung 1

2. Das reziproke Pronomen

Das Niederländische kennt neben dem Reflexivpronomen auch ein reziprokes Pronomen: **elkaar, mekaar** (letzteres praktisch nur in der gesprochenen Sprache).
Immer, wenn man im Deutschen das Reflexivpronomen durch **einander** ersetzen kann, **muß** es gebraucht werden:
We hebben **elkaar** niet meer gezien. *Wir haben uns nicht mehr gesehen.*
Zij spelen veel met **mekaar**. *Sie spielen viel miteinander.*

Vergleiche:

Ze vervelen **zich**	=	sie langweilen **sich**
Ze vervelen **elkaar**	=	sie langweilen **einander**

3. Substantiv: Plural -s

Neben **-en** (vgl. 2 B) kommt im Niederländischen oft **-s** vor. Es erhalten **-s** im Plural:

1. die Dimunitive (die alle auf **-je** enden, vgl. 26 B):
   het pakje *Päckchen* – de pakjes

2. die Substantive auf unbetontes **-el, -em, -en** oder **-er**:
   tafel   *Tisch*   – tafels   jongen *Junge*   – jongens
   bezem *Besen*   – bezems   kamer *Zimmer* – kamers
   Ausnahme: reden *Grund* – redenen
   Anmerkung: **-ens** wird [-əs] gesprochen: jongens [ˈjɔŋəs]

3. die Substantive auf **-aar, -aard, -erd** und **-eur**:
   winnaar *Sieger*   – winnaars   lieverd   *Liebling* – lieverds
   gierigaard *Geizhals* – gierigaards chauffeur *Fahrer* – chauffeurs
   Anmerkung: Bei einigen Wörtern auf **-aar** und **-eur** ist im gehobenen Stil auch **-en** möglich:
   leraar   *Lehrer*   – leraars, leraren
   directeur *Direktor* – directeurs, directeuren

4. die Fremdwörter auf **-e**:
   tante   *Tante*   – tantes
   machine *Maschine* – machines

5. die Substantive auf **-ier**, die Personen bezeichnen:
   passagier *Passagier* – passagiers
   Ausnahmen: **-en** haben scholier *Schüler* und officier *Offizier*

6. einige einsilbige niederländische Wörter:
   oom   *Onkel*   – ooms   het stuk *das Exemplar* – de stuks

7. viele Fremdwörter (die meistens auch im Deutschen **-s** haben), vgl.
   het restaurant *das Restaurant* – de restaurants
   Aber auch: film – *Film* – films
              roman [roˈmɑn] – *Roman* – romans

Übung 2

4. Die Frageadverbien

hoe?	= wie?	**waarom?**	= warum?
waar?	= wo?	**wanneer?**	= wann?

Hoe laat is het? *Wie spät ist es?*
Waar ben je? *Wo bist du?*
Waarom komt hij niet? *Warum kommt er nicht?*
Wanneer bel je op? *Wann rufst du an?*

Übungen   **5 C**

1. Bilden Sie den Plural. Nach dem Modell: Je blameerde je! – Jullie blameerden je!

Hij stelt zich voor. – Verveel jij je? – Ik bedenk me even. – Herinnert U het zich nog? – Waarom haast jij je zo? – Zij interesseert zich niet voor muziek. – Je moet je nog wassen!

2. Bilden Sie den Plural. Nach dem Modell: De kamer is gereserveerd. – De kamers zijn gereserveerd.
De wagen mag hier blijven staan. – De controleur spreekt hem aan. – Mijn oom koopt een anjer. – De kelner brengt het biertje. – De ingenieur komt binnen. – Mijn koffer was gevallen. – Ik bezoek de haven. – De chauffeur was er al. – De leraar vraagt hem iets. – De auteur schrijft een roman. – Het café is nog open, maar de winkel is al gesloten. – Schrijf jij een briefje? – De jongen verkoopt het horloge. – De tram komt al. – De antenne was afgebroken. – Het hotel was heel modern.

3. Übersetzen Sie: Sie rufen sich manchmal an. – Wo wohnen Sie? Ich wohne in Deutschland. Warum wollen Sie das wissen? – Wir schreiben uns regelmäßig. – Wieviel kostet die Uhr? Sie ist teuer, aber sie ist gut. – Ihr müßt euch beeilen! Die Straßenbahn wartet nicht! – Er will ein Moped kaufen, aber er hat kein Geld. – Wann wirst du mich endlich verstehen? – Wie geht's? – Was für ein Fahrrad wirst du kaufen? – In welchem Haus wohnst du?

5 D

bloemenwinkel [ˈbluˑmə(n)-] Blumengeschäfte
mevrouw [məˈv̊rɑ̃ũ] Frau; *Anrede:* gnädige Frau
kennis Bekannte(r)
regelmatig [reːɣ̊əlˈmaːtəx] regelmäßig
tegenkomen begegnen
waar ... naartoe? [naːrˈtuˑ] wohin?
buur [byːr] Nachbar
opknappen instand setzen
oud [ɑut] alt
bromfiets das Moped
beloven versprechen
bos [bɔs] das Bund, der Strauß
kopen kaufen
tot straks [strɑks] bis nachher
juffrouw [ˈjəfrɑ̃ũ] das Fräulein
van dienst zijn [seĩn] behilflich sein
ik zou ... willen ich möchte
het bloemetje [ˈbluˑmətĭə] die Blumen
rondkijken [ˈrɔntkɛĭkə(n)] sich umsehen
gaat U [yˑ] Uw gang! machen Sie nur!
het roosje [ˈroːʃə] das Röschen
hoek [huˑk] Ecke
plant Pflanze
geranium [ɣ̊əˈraːniˑ(j)əm] Pelargonie
het viooltje [v̊iˑˈjoːltĭə] das Veilchen

zich bedenken nachdenken
hoeveel [ˈhuˑv̊eːl] wieviel
die jene
anjer Nelke
vijftig [ˈfɛĭftəx] fünfzig
per pro
alstublieft [ɑlstyˑˈbliˑf(t)] bitte (sehr) (*beim Siezen*)
tien stuks [stəks] zehn Stück
vijf [v̊ɛĭf] fünf
vriendelijk bedankt! herzlichen Dank!
tot ziens! auf Wiedersehen!
het flatgebouw [ˈflɛtxəbɑ̃ũ] das Wohnhochhaus
binnenkomen herein-, hineinkommen
dank je (wel) danke schön (*beim Duzen*)
hoe gaat het ermee? wie geht's?
rustig [ˈrəstəx] ruhig
nu [nyˑ] jetzt, wo ...
het huis [həʏs] uit zijn aus dem Hause sein
zich vervelen [v̊ərˈv̊eːlə(n)] sich langweilen
nooit [noːĭt] nie
eindelijk [ˈɛĭndələk] endlich
mezelf mich selbst
oom Onkel

44

6. Stunde

Schoenen kopen 6 A

Mevrouw De Leeuw loopt met een kennis langs de winkels. „Ik heb dringend een paar zwarte schoenen met lage hak nodig", zegt ze. „Toen ik met vakantie was, heb ik eens in de stromende regen gelopen en daar heb ik mijn vorige schoenen mee verknoeid.

We waren aan de zee en we kampeerden er in een rustige camping. Dat was een fijne vakantie! Wij maakten lange wandelingen door de bossen en duinen of we speelden op het strand. Op een gaspitje kookten we elke dag ons eigen potje. Ik heb nog nooit zoveel blikjes opengemaakt als toen! Mijn man en ik voelden er veel voor om dit jaar weer naar die camping te gaan, maar de jongens houden van afwisseling."

„Jullie hoeven toch niet samen op vakantie te gaan", zegt haar vriendin. „Mijn kinderen waren nog klein, toen zij voor het eerst bij familie logeerden. Wij gaan altijd met zijn tweeën weg. Als wij dan thuiskomen, hebben we elkaar heel wat te vertellen. Kijk eens, hier heb je een goede schoenenzaak."

„Wat een keuze! Ik geloof dat ik in deze winkel wel mijn gading zal vinden. Kom, laten we binnengaan."

Erläuterungen 6 B

1. Die Demonstrativpronomen

Es findet sich auch hier dasselbe Schema wie beim Artikel (vgl. 1 B):

Neutrum Singular   sonst immer

dit	**deze**	= dies(es), diese(r)
dat	**die**	= jenes, jene(r);
		der, die, das (da)

Deze schoenen passen beter dan **die**. *Diese Schuhe passen besser als jene.* – Met **die** man wil ik niets te maken hebben. *Mit dem Mann (da) will ich nichts zu tun haben.* – **Dat** geloof ik niet. *Das glaube ich nicht.*

2. Verb: Die schwachen Vergangenheitsformen

Im Niederländischen wie im Deutschen gibt es schwache und starke
Verben (vgl. kaufen – ich kaufte gegenüber, laufen – ich lief). Im Niederländischen gibt es bei den **schwachen Verben** zwei Endungen:
mit **-t-**: wenn der Verbstamm auf einen stimmlosen Konsonanten
endet (vgl. die Konsonanten im Merkwort: **'t k o f s ch i p**)
mit **-d-**: alle anderen Verben

Imperfekt

Es gibt nur zwei Formen: Singular: **-te** bzw. **-de**
Plural: **-ten** bzw. **-den**
(Gesprochen wird nur eine Form, durch den üblichen Wegfall des
-n!)

't k o f s ch i p **stoppen** *halten*		die anderen Verben **spelen** *spielen*
ik jij, je hij/zij, ze/het	stopte	speelde
wij, we jullie zij, ze	stopten	speelden
U, u	stopte	speelde

Besonderheiten, die dieselben Fälle wie beim Präsens betreffen (vgl.
1 B):

1. **Infinitive mit -v- und -z-**: sie bekommen als Endung natürlich
-de(n), werden aber mit **-f-** bzw. **-s-** geschrieben (weil sie ja vor Konsonant stehen):
leven *leben* – ik lee**f**de ...   niezen *niesen* – ik nie**s**de ...

2. **Infinitive auf -t- und -d-**: sie bekommen in strenger Analogie mit
den anderen Verben **-te(n)** bzw. **-de(n)**, obwohl nur ein [t] bzw. [d]
gesprochen wird:
zuchten *seufzen* – ik zuch**tt**e ...
antwoorden *antworten* – ik antwoor**dd**e ...

Partizip

ge-: für dieses Präfix gilt dieselbe Regelung wie im Deutschen. Vgl.
ge**k**end *gekannt*, aber: **ver**trouwd *vertraut*.

Ausnahme: alle niederländischen Verben auf **-eren** [–ˈeːrə(n)] (vgl. dt. -ieren) haben im Niederländischen **ge-**:

studeren	*studieren*	–	**ge**studeerd
amuseren	*amüsieren*	–	**ge**amuseerd

Die **Endung** ist **-t** bzw. **-d** nach der oben erläuterten Regel:
't k o f s ch i p   die anderen Verben
stoppen – **gestopt**   spelen – **gespeeld**

Merke: Infinitive auf **-t** und **-d**: da das Niederländische keine Doppelkonsonanz im Auslaut kennt, steht bei diesen Verben im Partizip nur ein **-t** bzw. **-d**:
zuchten – **gezucht**   antwoorden – **geantwoord**

Übung 2

3. hoeven – nodig hebben = brauchen

Wo das Deutsche **brauchen** benutzt, hat das Niederländische zwei Verben:

1. **+ Infinitivobjekt: hoeven te**
Je **hoeft** niet meer **te komen**. *Du brauchst nicht mehr zu kommen.*

2. **+ Substantivobjekt:**
in einem Negativsatz: **hoeven** oder (gebräuchlicher) **nodig hebben**
Ik **hoef** geen geld. = Ik **heb** geen geld **nodig**. *Ich brauche kein Geld.*
in einem positiven Satz: **nodig hebben**
Hij **heeft** altijd geld **nodig**. *Er braucht immer Geld.*

Idiom: Dat **hoeft** niet! *Das ist nicht nötig!*

Übungen   6 C

1. Bilden Sie den Singular. Nach dem Modell: Deze deuren blijven open. – Deze deur blijft open.
We kunnen die mensen niet uitstaan. – Neemt U die blikjes mee? – Van wie zijn deze sigaretten? – Zie je die huizen daar? – Waren die cafés nog open? – Die vakanties zal ik nooit vergeten! – Wie heeft deze schoenen verknoeid? – Hoe duur zijn deze hotels?

2. Bilden Sie das Imperfekt und Perfekt. Nach dem Modell: Hij noteert alles. – Hij noteerde alles. – Hij heeft alles genoteerd.
U verknoeit Uw schoenen! – Werk je hard? – Ze koken een ei. – Zij vertellen niks. – Hij opereert veel te vlug. – Waarom zucht je? – Ik geloof haar niet. – Waar logeert U? – Wacht je op haar? – Wij vertrouwen hem niet. – Zij antwoordt niet op mijn vraag. – Zij kamperen niet graag. – Waar studeert U? – Ze ontmoeten hem niet meer. –

Hoe laat belt U op? – Hij controleert de auto. – Wonen jullie graag in Nederland? – Zij richten het huis mooi in. – Je luistert nooit! – Hij verdient goed zijn brood. – Geneert U zich niet? – Hoeveel kost dat?

3. Übersetzen Sie: Was hast du heute gekocht? – Sie (= *U*) brauchen nicht anzurufen. – Er braucht immer Geld. Er geht nämlich viel aus. – Wir fahren im Sommer immer in Urlaub an die See. Wir zelten dort gerne. Wir spazieren dann viel. – Ich danke Ihnen für die Einladung. Ich werde auch kommen. – Wir haben keine Zimmer mehr. – Er hatte noch keine Freundin. – Wo haben Sie studiert? – Sie hat immer geseufzt. – Was hast du ihr erzählt? Hat sie es auch geglaubt? – Wir haben zum ersten Mal am Meer gezeltet. Es war schön! – Die Auswahl war nicht groß gewesen.

6 D

schoen [sxuˑn] Schuh
nodig ['noːdəx] hebben brauchen
zwart schwarz
laag niedrig
hak Absatz
toen [tuˑn] als (*Konjunktion*)
met vakantie [v̆ɑˈkɑnsiˑ] zijn auf Urlaub sein
eens [ə(n)s] mal
daar ... mee damit
verknoeien [v̆ərˈknuˑïə(n)] verderben
kamperen [kɑmˈpeːrə(n)] zelten
camping ['kɛmpɪŋ] Campingplatz
vakantie Ferien
het bos der Wald
de duinen ['dəynə(n)] *pl.* die Dünen *pl.*
het gaspitje der Gasbrenner
zijn [zən] eigen potje koken selbst kochen
elke dag [dɑx] jeden Tag
het blikje die Büchse
toen damals (*Adverb*)

veel voelen voor Lust haben zu
afwisseling Abwechslung
hoeven ['huˑv̆ə(n)] brauchen
op vakantie gaan in Urlaub gehen (fahren)
haar ihr(e)
vriendin [v̆riˑnˈdɪn] Freundin
voor het eerst zum ersten Mal
familie [fɑˈmiˑliˑ] Familie
logeren [loˑˈʒeːrə(n)] als Gast wohnen
altijd [ɑlˈtɛit] immer
met zijn tweeën [sən ˈt̆üeːïə(n)] zu zweit
heel wat eine ganze Menge
vertellen erzählen
schoenzaak das Schuhgeschäft
keuze ['køːzə] Auswahl
geloven glauben
zijn gading vinden etwas Passendes finden
sigaret Zigarette

7. Stunde

Een verkeersongeluk   7 A

Aan de verkeerslichten van een rotonde zijn er mensen samengedromd. Ze staan opgewonden met elkaar te praten. Een nieuwsgierige heer vraagt aan een dame: „Kunt U me zeggen wat er gebeurd is?"

„Jazeker, meneer. Ik heb het ongeluk voor mijn ogen zien gebeuren. Ik stak de straat over toen de lichten voor voetgangers

op groen sprongen. Op de stoep liep een meisje met een hond aan de lijn. Opeens rukte haar hond zich los en schoot van de stoep de straat op. Het meisje vloog hem achterna, zonder op het verkeer te letten.
De chauffeur van een auto gooide zijn stuur om en remde, maar hij raakte het meisje nog net met de bumper."
Het scheen gelukkig niet erg te zijn. Het meisje had wel over-gegeven, maar misschien was zij alleen een beetje geschrokken.
De ziekenwagen en de politie hadden ze al gewaarschuwd. De chauffeur ziet nog wat bleekjes om de neus. Toch was het zijn schuld niet geweest: hij had echt niet hard gereden.
„Het is vreselijk hoeveel ongelukken er tegenwoordig gebeuren. Als je eraan denkt, zijn er redenen genoeg om niet met de auto te rijden als het niet dringend noodzakelijk is", meende een an-dere dame.

Erläuterungen   7 B

1. Verb: Die starken Vergangenheitsformen: Die vier großen Klassen
Das **Imperfekt** kennt, wie bei den schwachen Verben, nur zwei For-men:
Singular: – (keine Endung!); Plural: **-en.**
Beispiel: begrijpen *begreifen*
1. ik; 2. jij, je; 3. hij/zij, ze/het   **begreep**
1. wij, we; 2. jullie; 3. zij, ze   **begrepen**
            2. U, u   **begreep**
In bezug auf den **Wechsel des Stammvokals** in den Vergangenheits-formen gibt es im Niederländischen zunächst vier große, mit dem Deutschen mehr oder weniger vergleichbare Klassen. Mit Ausnahme der Klasse 4 ist bei diesen der Vokal im Imperfekt und im Partizip identisch. Hier folgen nur einige Verben; die anderen lassen sich leicht analog bilden. Vgl. weiter den Anhang (S. 131). Die wichtig-sten Abweichungen sind hier wie dort fett gedruckt.

		Imperfekt	Partizip
1. [ɛĭ] **ij**		[e:] **ee, e**	**e**
begrijpen	*begreifen*	begreep	begrepen
blijven	*bleiben*	bleef	gebleven
kijken	*gucken*	keek	gekeken
krijgen	*kriegen*	kreeg	gekregen
rijden	*fahren, reiten*	reed	gereden
schrijven	*schreiben*	schreef	geschreven

2. [iˑ] ie/[əʏ] ui   [oː] oo, o   o

genieten	*genießen*	genoot	genoten
schieten	*schießen*	schoot	geschoten
verliezen	*verlieren*	verloor	verloren
vliegen	*fliegen*	vloog	gevlogen
ruiken	*riechen*	rook	geroken
sluiten	*schließen*	sloot	gesloten

3. [ɪ] i/[ɛ] e   [ɔ] o   o

beginnen	*beginnen*	begon	begonnen
drinken	*trinken*	dronk	gedronken
schrikken	*erschrecken*	schrok	geschrokken
vinden	*finden*	vond	gevonden
schenken	*schenken*	schonk	geschonken
treffen	*treffen*	trof	getroffen
zwemmen	*schwimmen*	zwom	gezwommen

4. [eː] e/[ɪ] i   [ɑ] a; Plural: [aː] a   A) [eː] e

eten	*essen*	at	; aten	gegeten
geven	*geben*	gaf	; gaven	gegeven
lezen	*lesen*	las	; lazen	gelezen
vergeten	*vergessen*	vergat	; vergaten	vergeten
liggen	*liegen*	lag	; lagen	gelegen
zitten	*sitzen*	zat	; zaten	gezeten

B) [oː] o

breken	*brechen*	brak	; braken	gebroken
nemen	*nehmen*	nam	; namen	genomen
spreken	*sprechen*	sprak	; spraken	gesproken
steken	*stechen*	stak	; staken	gestoken

Merke: Das Imperfekt der vierten Klasse kennt zwei verschiedene
Vokale: im **Singular**: ein **kurzes a**
          im **Plural** : ein **langes a**

Übung 1

2. Die Possessivpronomen

	Singular	Plural
1.	**mijn**	**onze; ons**
2.	**jouw, je**	**jullie, je**
3.	**zijn**/weiblich: **haar**	**hun**

Höflichkeitsform: **Uw, uw**

Bemerkungen:

1. Diese Formen sind grundsätzlich unveränderlich.
Nur in der Schriftsprache und in festen Ausdrücken finden sich flektierte Formen: ter **Uwer** informatie *zu Ihrer Information* usw.

2. **mijn, zijn:** sie werden in der Regel [mǝn] bzw. [zǝn] ausgesprochen (und manchmal auch **m'n** bzw. **z'n** geschrieben). Nur bei Betonung werden sie mit [εĭ] gesprochen:
Ik heb **mijn** [mǝn] sleutels verloren. *Ich habe meine Schlüssel verloren.* – Dat is **zijn** [sεĭn] schuld! *Das ist seine Schuld!*

3. **jouw, je:** die normale, unbetonte Form ist **je**; bei Betonung wird **jouw** [jɑŭ] gebraucht:
Was **je** handen! *Wasche deine Hände!* – Zijn dat **jouw** sigaretten? *Sind das deine Zigaretten?*

4. **onze, ons:** hier findet sich dasselbe Schema wie beim Artikel (vgl. 1 B): im Neutrum Singular **ons**, sonst immer **onze**:
Ons huis *unser Haus*; **onze** huizen *unsere Häuser* usw.

5. **jullie, je:** wenn der Kontext klar ist (z. B. wenn schon einmal **jullie** als Personalpronomen im Satz vorkommt) wird **je** gebraucht; sonst **jullie**:
Waar zijn **jullie** schoenen? *Wo sind euere Schuhe?* – **Jullie** kunnen je kinderen natuurlijk meebrengen. *Ihr könnt natürlich eure Kinder mitbringen.*

6. Bei **Körperteilen und Kleidungsstücken** gebraucht das Niederländische gern das Possessivpronomen. Vgl. mit dem Deutschen:
Hij stak **zijn** handen in **zijn** zakken. *Er steckte die Hände in die Taschen.* – Jullie moeten **je** handen wassen. *Ihr müßt euch die Hände waschen.*

Übungen 2–3

Übungen 7 C

1. Bilden Sie das Imperfekt und das Perfekt. Nach dem Modell: De hond bijt. – De hond beet. – De hond heeft gebeten.
Ik drink uit mijn glas, maar hij schenkt het steeds weer vol! – Ze genieten van het mooie weer. – Sluit je de auto af? – Waarom kijkt U me zo aan? – Schrik je? – Waarom eten jullie niks? – Ze verliezen hun geduld. – Ik dwing ze te luisteren. – Blijven jullie binnen? – Zit je goed? – Ik ruik niets. – Je bedriegt mij steeds weer! – Ze geven alles weg. – Jij zwemt te ver! – Ik vind het spannend. – We spreken over zijn plannen. – Hij wijst me de weg. – Je springt heel hoog! – Ze zwijgen de hele tijd. – We lezen een boek. – Hij vliegt naar Amsterdam. – U vergeet Uw koffers! – Je overdrijft met die onzin! – We steken de Maas over.

2. Bilden Sie den Plural. Nach dem Modell: Ik vertrouw op mijn vrienden. – Wij vertrouwen op onze vrienden.
Hij houdt veel van zijn kinderen. – Je vergat je handschoenen! – De jongen heeft zijn plannen opgegeven. – Ik stak mijn handen in mijn zakken. – Je hebt je boeken laten liggen. – Mijn kennis heeft nog niet geschreven. – De fabriek sloot haar deuren. – Hij slaapt in zijn bed. – Heb jij je handen gewassen?

3. Bilden Sie den Singular. Nach dem Modell: Wij vertrouwen op onze vrienden. – Ik vertrouw op mijn vrienden.
Zij lieten hun passen zien. – Wij hebben onze schulden betaald. – Jullie schoenen zijn kapot! – We verkopen ons huis. – Ze hebben hun benen gebroken. – De landen verbeteren hun wegen. – De meisjes nodigen hun vrienden uit.

4. Übersetzen Sie: Hast du noch etwas von ihm gehört? Nein, er hat mir nie mehr geschrieben, und seine Freunde haben ihn auch nicht mehr getroffen. Vielleicht ist er weggefahren. – Unser Kind ist noch zu klein. – Ich muß Sie warnen! Sie fuhren viel zu schnell mit Ihrem Auto! Sie hatten fast keine Zeit mehr, um zu bremsen! – Er schenkte ihr einen Strauß Blumen. – Sie wagte es nicht, die Straße zu überqueren. – Das Mädchen hat endlich sein Fahrrad bekommen! – Unser Auto hat noch gebremst, aber es war zu spät. – Unser Haus ist schon sehr alt.– Mein Mann ist noch nicht zu Hause. – Ich habe Ihre Frage nicht verstanden.

7 D

het **verkeersongeluk** [-ɔnɣ̊ələk] der Verkehrsunfall
het **verkeerslicht** die Verkehrsampel
rotonde [ro·ˈtɔndə] Verkehrskreis
samengedromd zijn zusammengedrängt sein
opgewonden aufgeregt
praten reden
ze staan te praten sie (stehen da und) reden
nieuwsgierig [niˑüsˈxiːrəx] neugierig
gebeuren [ɣ̊əˈbøːrə(n)] geschehen, sich ereignen
jazeker [jɑˈzeːkər] ja gewiß
het **oog** das Auge
oversteken [ˈoːʋ̊ərsteːkə(n)] überqueren
voetganger [ˈʋ̊uˑtxɑŋər] Fußgänger
stoep Bürgersteig
het **meisje** [ˈmɛɪʃə] das Mädchen
lijn [lɛɪn] Leine
zich losrukken [ˈlɔsrøkə(n)] sich losreißen
achterna [ɑxtərˈnaː] hinterher
letten op aufpassen auf
omgooien [ˈɔmɣ̊oːïə(n)] (her)umwerfen
het **stuur** [styːr] das Lenkrad

remmen bremsen
raken treffen, streifen
bumper [ˈbɛmpər] Stoßstange
gelukkig [ɣ̊əˈløkəx] glücklich; *Adverb:* zum Glück
overgeven [ˈoːʋ̊ərɣ̊eːʋ̊ə(n)] sich übergeben
misschien [məˈsxiˑn] vielleicht
alleen allein
een beetje ein bißchen
schrikken erschrecken
ziekenwagen Krankenwagen
politie [po·ˈliˑ(t)siˑ] Polizei
waarschuwen [ˈʋ̊aːrsxy·üə(n)] benachrichtigen; warnen
neus [nøːs] Nase
bleek(jes) om de neus zien bleich aussehen
hard schnell; hart
rijden [ˈrɛɪə(n)] fahren
vreselijk [ˈʋ̊reːsələk] furchtbar
tegenwoordig [te·ɣ̊ə(n)ˈʋ̊oːrdəx] gegenwärtig
reden [ˈreːdə(n)] Grund
noodzakelijk [noːtˈsaːkələk] notwendig

8. Stunde

In het station

Meneer Sasse stapt uit de trein. Hij is op het Centraalstation van Amsterdam.

„Bent U meneer Sasse?", vraagt een heer.

„Inderdaad." „Aangenaam, De Leeuw is mijn naam. De firma heeft me gestuurd. Het is dikwijls een beetje moeilijk om in een vreemde stad wegwijs te worden. Heeft U een prettige reis gehad?"

„Dank U, ja. Ik moest wel in Breda overstappen, omdat ik in het verkeerde treinstel zat. Dat kon ik echt niet weten; het stond niet aangegeven op de dienstregeling van het station waar ik instapte. Twee kinderen tegenover mij wilden naar Amstelveen. Gelukkig heeft de conducteur ons op tijd meegedeeld dat wij niet mochten blijven zitten. Wij zijn toen met zijn drieën naar het voorste treinstel gelopen."

Al pratende komen ze in de stationshal.

„Weet U waar het bagagedepot is? Dan kan ik mijn handkoffer daar in bewaring geven."

„Voor één koffer kunt U zich ook met een kluis behelpen. Kijkt U maar. U doet Uw bagage erin, U gooit een muntstuk, vijftig cent of één gulden, in het gleufje en U sluit de deur. De sleutel neemt U mee. Dat is praktisch en gemakkelijk."

„Ik hoop dat ik het nuttige met het aangename kan verbinden en dat ik na de bespreking de binnenstad kan bekijken."

Erläuterungen

1. Substantiv: Plural -eren

Einige sächliche Substantive bilden den Plural mittels **-eren** (vgl. die betreffenden deutschen Substantive mit *-er*):

	het ei	*das Ei*	– de ei**eren**
	het kind	*das Kind*	– de kind**eren**
aber:	het boek	*das Buch*	– de boek**en**
	het huis	*das Haus*	– de huiz**en**
	het land	*das Land*	– de land**en**

2. Verb: Die Vergangenheitsformen der modalen Verben

Die Vergangenheitsformen der sehr frequenten modalen Verben sind wie im Deutschen unregelmäßig.

Wie bei den starken Verben gibt es im **Imperfekt** nur zwei Formen: eine Singularform und eine Pluralform (vgl. 7 B). Bei einigen Verben sind diese Formen allerdings verschieden, sie stehen im Kästchen:

		Imperfekt	Partizip
kunnen	*können*	kon; Plural: konden	gekund
laten	*lassen*	liet	gelaten
moeten	*müssen, sollen*	moest	gemoeten
mogen	*dürfen*	mocht	gemogen, gemoogd
willen	*wollen*	wou, wilde; Plural: wilden	gewild
zullen	*werden*	zou; Plural: zouden	–

Anmerkung: | zou; zouden = würde(n) |

Diese Formen entsprechen dem deutschen Konjunktiv oder der Umschreibung mit **würde** (vgl. weiter 22 B).

Hij **zou** ook komen. *Er würde auch kommen.*

Übung 2

3. Die Grundzahlen

0	nul [nəl]	14	veertien
1	één, een [eːn]	15	vijftien ['v̊ɛĭftiˑn]
2	twee	16	zestien
3	drie	17	zeventien
4	vier	18	achttien
5	vijf [v̊ɛĭf]	19	negentien
6	zes	20	twintig ['tŭɪntəx]
7	zeven ['zeːvə(n)]	21	eenentwintig ['eːnəntŭɪntəx]
8	acht	22	tweeëntwintig
9	negen ['neːɣə(n)]		['tŭeːĭəntŭɪntəx]
10	tien	23	drieëntwintig
11	elf		['driˑĭəntŭɪntəx]
12	twaalf	24	vierentwintig *usw.*
13	dertien	30	dertig ['dɛrtəx]

31	eenendertig *usw.*	864	achthonderd
40	veertig [ˈfeːrtəx]		vierenzestig
50	vijftig [ˈfɛɪftəx]	1000	duizend
60	zestig [ˈsɛstex]		[ˈdəʏzənt]
70	zeventig	1 001	duizend (en) een
	[ˈseːv̊ə(n)təx]	1 002	duizend twee
80	tachtig		*usw.*
	[ˈtɑxtəx]	1 100	elfhonderd
90	negentig	2 000	tweeduizend
	[ˈneːɣ̊ə(n)təx]		*usw.*
100	honderd	48 917	achtenveertig-
101	honderd (en)		duizend negen-
	een		honderd
102	honderd twee		zeventien
	usw.	100 000	honderdduizend
110	honderd tien	200 000	tweehonderd-
	usw.		duizend *usw.*
200	tweehonderd	1 000 000	een miljoen
300	driehonderd		[mɪlˈjuˑn]
	usw.	1 000 000 000	een miljard

Bemerkungen:

1. **één, een:** Gesprochen wird [eːn]. Zur deutlichen Unterscheidung vom unbestimmten Artikel **een** wird oft **één** geschrieben.

2. Einige Zahlwörter können wie im Deutschen **substantivisch** gebraucht werden und bekommen dann die Endung **-en:**
Honder**den** boeken   *Hunderte von Büchern*
So auch beim typisch niederländischen Gebrauch:
Wij waren maar met ons (oder: z'n) vieren. *Wir waren nur zu viert.* –
Zij komen met hun (oder: z'n) twee**ën**. *Sie kommen zu zweit.*

3. Bei der ungefähren Zahlenangabe benutzt man neben **ongeveer** in der gesprochenen Sprache auch oft **een** [ən] ... **of** ...
Dat kost **een** gulden **of** tien. = Dat kost **ongeveer** tien gulden. *Das kostet ungefähr zehn Gulden.*
Daneben kommt auch **een -tal** vor:
We hebben **een** vijf**tal** (oder: **ongeveer** vijf) schroeven nodig. *Wir brauchen ungefähr fünf Schrauben.*

4. $2 + 2 = 4$ Twee **en** (oder: **plus**) twee is vier.
$8 - 3 = 5$ Acht **min** drie is vijf.
$7 \times 4 = 28$ Zeven **maal** vier is achtentwintig.
$14 : 2 = 7$ Veertien **gedeeld door** twee is zeven.

55

Übungen 8 C

1. Bilden Sie den Plural. Nach dem Modell: Het kind is nog klein.
– De kinderen zijn nog klein.
Ik heb geen zin in een ei. – Mijn buur zong een lied. – Van wie is
dat boek?

2. Bilden Sie das Imperfekt. Nach dem Modell: Hij kan het niet weten. – Hij kon het niet weten.
Ik wil je nog spreken. – Hij laat me roepen. – Zij mogen ook komen. –
Ze willen niet op vakantie gaan. – Ze moeten op tijd opstaan. – Wij
laten ons dat niet zeggen. – Zij kunnen het niet verzwijgen.

3. Lösen Sie die folgenden Aufgaben und schreiben Sie sie voll aus:

$8 + 13 = ?$	$42 + 28 = ?$	$67 + 11 = ?$
$9 - 3 = ?$	$29 - 12 = ?$	$864 - 54 = ?$
$5 \times 4 = ?$	$8 \times 10 = ?$	$120 \times 5 = ?$
$28 : 4 = ?$	$182 : 2 = ?$	$18 : 6 = ?$

4. Übersetzen Sie: Sie konnte nicht kommen, weil sie dringend weg
mußte. – Was wollten Sie noch sagen? – Er würde diese Ferien nie
vergessen. – Das Mädchen ließ ihren Freund immer warten. – Wir
würden gerne mit Ihnen mitfahren! – Sie durften hier nicht so schnell
fahren. – Zum Glück konnte der Fahrer des Krankenwagens noch
rechtzeitig bremsen. – Sie hatte ihre Schlüssel und ihr Geld verloren. –
Ich hatte nur noch etwa fünfunddreißig Gulden. Und die brauchte
ich für die Reise! Wann bist du weggefahren? Ich wollte eigentlich
vorgestern nach Hause fahren, aber ich bin noch zwei Tage geblieben.
Ich bin froh, daß ich jetzt wieder zu Hause bin!

8 D

uitstappen [ˈəʏtstɑpə(n)] aussteigen
trein [trɛĭn] Zug
het Centraalstation [sɛntraːlstɑˈsĭon]
der Hauptbahnhof
sturen [ˈstyːrə(n)] schicken
dikwijls [ˈdɪkŭəls] oft
wegwijs [ˈʋɛxʋɛĭs] **worden** den Weg
finden
prettig [ˈprɛtəx] angenehm
overstappen umsteigen
omdat [ɔmˈdɑt] weil
het treinstel [ˈtrɛĭnstɛl] die Zughälfte
dienstregeling Fahrplan
instappen einsteigen
tegenover [teːɣənˈoːʋər] gegenüber
conducteur [kɔndəkˈtøːr] Schaffner
meedelen mitteilen

met zijn drieën [sən ˈdriˑ(j)ə(n)] zu dritt
voorste vorderste, vordere
al pratende während sie so reden
het bagagedepot [baˈɣaːʒədeˑpoː] die
Gepäckaufbewahrung
in bewaring geven zur Aufbewahrung
geben
kluis [kləʏs] Schließfach
maar nur
gooien [ˈɣoːĭə(n)] werfen
het gleufje [ˈɣløːfĭə] der (kleine) Schlitz
sleutel Schlüssel
gemakkelijk [ɣəˈmɑkələk] leicht, einfach
hopen [ˈhoːpə(n)] hoffen
nuttig [ˈnøtəx] nützlich
binnenstad Innenstadt

9. Stunde

Aan het loket

Meneer Sasse is terug bij het Amsterdamse station. Hij heeft een vermoeiende dag achter de rug.

Bij zijn vertrek had hij geen retourkaartje genomen, omdat hij op diezelfde dag nog naar Alkmaar wou doorreizen.

Als men een kaartje wil kopen, moet men eerst kijken of men aan het juiste loket in de rij staat. Er zijn aparte loketten voor mensen die hun kaartje een paar dagen van tevoren willen afhalen, voor abonnementen, voor binnen- en buitenland. Er zijn zelfs automaten voor de drukke routes.

De afdeling „inlichtingen" is in alle stations duidelijk aangegeven. Als men een verre reis maakt, bijvoorbeeld naar Karinthië, is het beter daar inlichtingen in te winnen. Ze stippelen dan de reisroute voor U uit. Men kan er ook slaapplaatsen reserveren.

Als hij aan de beurt is, vraagt hij aan de man achter het loket:

„Op welk perron komt de trein naar Alkmaar?"

„Op het achtste perron. Hij komt pas over drie kwartier."

„Neemt U me niet kwalijk, maar ik dacht dat er al eerder een trein ging."

„U heeft gelijk, maar dat is een stoptrein."

Meneer Sasse gaat niet in de wachtkamer zitten. Hij vindt de houten banken en de kale muren ongeriefelijk en ongezellig. Daarom loopt hij liever heen en weer op het perron.

Erläuterungen

1. Adjektiv: Flexion

Die Endung -e ist die Regel bei den Adjektiven, wenn sie vor einem Substantiv stehen.

de oude man *der alte Mann*

mijn zwarte schoenen *meine schwarzen Schuhe*

Anders verhält sich auch hier das **Neutrum Singular:**

1. Wenn kein Bestimmungswort oder **een** *ein*, **geen** *kein*, **ieder, elk** *jedes*, **menig** *manch(es)*, **welk** *welch(es)*, **zulk** *solch(es)* vorangeht, bekommt das Adjektiv **keine Endung.**

een mooi huis *ein schönes Haus*

2. Wenn der bestimmte Artikel **(het)**, ein Demonstrativpronomen **(dat, dit)** oder ein Possessivpronomen **(mijn, jouw, je** usw.) vorangeht, bekommt das Adjektiv **meistens -e.** (Vor allem bei Adjektiven mit unbetonter Endsilbe fehlt die Endung öfter).

    dat mooie huis *das schöne Haus* (*da*)

    jouw moeilijk(e) geval *dein schwieriger Fall*

Weitere Besonderheiten:

1. **Nie eine Endung** bekommen die Adjektive auf **-en** und die von Ortsnamen abgeleiteten Adjektive auf **-er.**

    de bescheiden man *der bescheidene Mann*

    die gestolen wagens *die gestohlenen Wagen* (*da*)

    Edammer kaas *Edamer Käse*

2. Nach **een, geen, elk** bzw. **ieder, welk** oder **zulk** haben die Adjektive vor (meistens männlichen) Personenbezeichnungen, vor allem, wenn es sich dabei um Berufs- oder Funktionsbezeichnungen oder um das Wort **man** *Mann* handelt, zuweilen keine Endung.

    een groot (oder: grote) schilder *ein großer Maler*

    geen goed(e) spreker *kein guter Sprecher*

Übungen 1 – 2 – 3

2. Verb: Die Vergangenheitsformen der anderen starken und unregelmäßigen Verben

Auch hier gibt es zahlreiche Ähnlichkeiten mit den entsprechenden deutschen Verben. Die wichtigsten Abweichungen sind fett gedruckt. Vgl. weiter den Anhang (S. 131) unter II.

		Imperfekt	Partizip
dragen	*tragen*	droeg	gedragen
slaan	*schlagen*	sloeg	geslagen
vragen	*fragen*	**vroeg**	gevraagd
slapen	*schlafen*	sliep	geslapen
vallen	*fallen*	viel	gevallen
lopen	*laufen*	liep	gelopen
roepen	*rufen*	riep	geroepen
houden	*halten*	hield	**gehouden**
gaan	*gehen*	ging	**gegaan**
hangen	*hängen*	hing	gehangen
scheren	*rasieren*	schoor	geschoren
wegen	*wiegen*	woog	gewogen
helpen	*helfen*	**hielp**	geholpen
sterven	*sterben*	**stierf**	gestorven
worden	*werden*	**werd**	geworden
doen	*tun*	**deed**	gedaan
staan	*stehen*	**stond**	**gestaan**

weten	*wissen*	**wist**	**geweten**
zien	*sehen*	**zag**; Plural: **zagen**	**gezien**
komen	*kommen*	**kwam**; Plural: **kwamen**	gekomen
denken	*denken*	dacht	gedacht
brengen	*bringen*	bracht	gebracht
zoeken	*suchen*	**zocht**	gezocht
kopen	*kaufen*	**kocht**	**gekocht**
zeggen	*sagen*	**zei**; Plural: **zeiden**	gezegd
heten	*heißen*	**heette**	geheten
lachen	*lachen*	lachte	**gelachen**
wassen	*waschen*	**waste**	gewassen

Übung 4

Übungen 9 C

1. Bilden Sie den Plural. Nach dem Modell: Een prettige reis. – Prettige reizen.
Mijn dure boek. – Een jong kind. – Die vermoeiende dag. – Een vervelende roman. – Deze drukke weg. – Die warme zomer. – Ons mooie huis. – Een fijne camping. – Die nieuwsgierige heer. – Een verlegen meisje.

2. Bilden Sie den Singular. Nach dem Modell: Aangename herinneringen. – Een aangename herinnering.
Onze jonge honden. – Deze hoge flatgebouwen. – Die harde houten banken. – Deze gezellige cafés. – Mijn stevige schoenen. – Deze snelle auto's. – Kapotte glazen. – Vreselijke ongelukken. – Open deuren.

3. Bilden Sie die Sätze um. Nach dem Modell: Onze kinderen zijn slaperig. – Onze slaperige kinderen.
De antenne is afgebroken. – Een ei is lekker. – Avondkleding is verplicht. – De bagage is zwaar. – Het loket is gesloten. – Kersen zijn rood. – Een bos is geheimzinnig. – Mijn broek is gereinigd. – Het brood is oud. – Onze buur is vriendelijk. – De chauffeur ziet er bleek uit. – De jongen is ziek. – Haar verwachtingen werden overtroffen. – Het pak is donker. – De lessen zijn gemakkelijk. – De keuze is groot. – Een operatie is noodzakelijk. – Het gesprek was opgewonden.

4. Bilden Sie das Imperfekt und das Perfekt. Nach dem Modell: Ik ga op reis. – Ik ging op reis. – Ik ben op reis gegaan.
Scheer je je niet? – Hij doet alles voor zijn meisje, omdat hij veel van haar houdt. – Ik zie hem niet. – Zij wordt niet ziek. – Jij komt zoals altijd te laat! – Help je hem? – De man weet het niet meer. – Zij staan op de hoek en vragen mij de weg. – De dame roept de kelner. – Zij bezoeken de patiënt elke dag. – Hij koopt een radio. – Hoe heet hij? – Ze lachen dikwijls. – Hij wast zich dikwijls. – Wij slapen ook boven.

5. Übersetzen Sie: Sind Sie schon mal in Amsterdam gewesen? Nein, noch nie. Ich war dieses Jahr zum ersten Mal dort. Das war vor ein paar Monaten, im Sommer. Ich habe vierzehn Tage bei meinen Bekannten gewohnt. Wir waren auch oft zusammen am Meer. – Unsere Freunde konnten heute endlich ihre Schulden bezahlen. – Das freundliche Fräulein zeichnete uns die Reiseroute vor. – Er kannte mich natürlich nicht mehr. – Ich soll ihn morgen wieder anrufen. – Fast jedermann hat ihn gesehen. – Wo wurde euer Fahrrad gestohlen? – Jemand hat es uns erzählt. – Entschuldigen Sie! Wann fährt der letzte Zug nach Rotterdam (ab)? Um zwölf Uhr vierzig. Und auf welchem Bahnsteig? Auf Bahnsteig fünf. Danke schön!

9 D

het loket [lo·'kɛt] der Schalter
terug [tə'rɘx] zurück
vermoeiend [v̆ər'mu·ïənt] ermüdend, anstrengend
achter hinter
rug [rɘx] Rücken
achter de rug hinter sich
het vertrek die Abfahrt
het retourkaartje [rə'tuːr-] die Rückfahrkarte
diezelfde derselbe
doorreizen ['doːrɛïzə(n)] weiterreisen
juist [jəɣst] richtig
in de rij [rɛï] staan anstehen
apart einzeln, Einzel-
van tevoren [tə'v̆oːrə(n)] vorher
afhalen abholen
het binnenland das Inland
het buitenland ['bəɣtə(n)lɑnt] das Ausland
zelfs selbst, sogar
inlichtingen pl. Auskunft

duidelijk ['dəɣdələk] deutlich
bijvoorbeeld [bə'v̆oːrbeːlt] zum Beispiel
inwinnen einholen
uitstippelen ['əɣtstɪpələ(n)] vorzeichnen
aan de beurt [bøːrt] zijn an der Reihe sein
het perron [pɛ'rɔn] der Bahnsteig
pas erst
over drie kwartier [kŭɑr'tiːr] in einer Dreiviertelstunde
kwalijk ['kŭaːlək] nemen übelnehmen
neemt U mij niet kwalijk! entschuldigen Sie!
eerder eher, früher
stoptrein Personenzug
gaan zitten sich setzen
houten ['hɑutə(n)] hölzern
muur [myːr] Wand, Mauer
ongeriefelijk [ɔnɣə'riˑfələk] unbequem
heen en weer auf und ab; hin und zurück

10. Stunde

Een avond naar de film   10 A

Het is zeven uur 's avonds en etenstijd. In de huiskamer praten ouders en kinderen over de grotere en kleinere gebeurtenissen van de dag. Mevrouw De Leeuw komt uit de keuken en zet het toetje op tafel.

,,Ik zou vanavond wel eens naar de bioscoop willen gaan. Wie heeft er zin om mee te gaan?", vraagt ze. ,,Er draait een nieuwe film die ik dolgraag zou willen zien."

Zij kijkt vragend naar haar man, die zich Oostindisch doof houdt.

„Het is een echt kassucces", gaat ze ijverig verder. „De mensen staan elke avond in rijen aan te schuiven. Hé toe Jan, ga nou mee."

„Een reden te meer om er niet naartoe te gaan", merkt haar man droog op. „Het spijt me, lieve, maar meneer Duinstra komt zo dadelijk een partijtje schaak met me spelen. Bovendien val ik in de bioscoop meestal in slaap. Of ik krijg hoofdpijn!"

„Ik wil die film best zien, mam", zegt Hein. „Dat lijkt me beter dan naar de televisie te kijken. We kunnen naar de voorlaatste voorstelling gaan."

Haar gezicht klaart op. „Haal jij de wagen alvast uit de garage? Dan ga ik nou een warmere jurk aantrekken. Het is buiten kouder geworden."

Aan het loket zegt Hein: „Twee plaatsen achteraan, alstublieft." De zaal is goed bezet. Alleen op het balcon, op de duurdere plaatsen, blijven er veel stoelen leeg.

Erläuterungen 10 B

1. Adjektiv: Vergleich und Komparativ

Bei einem Vergleich gebraucht man zur Bezeichnung der **Gleichheit** **even ... als, (net) zo ... als** (*genau*) *so ... wie.*

Hij is **(net) zo** stipt **als** zijn vader. *Er ist (genau) so pünktlich wie sein Vater.* – Hij is **even** oud **als** ik. *Er ist (genau) so alt wie ich.*

Übung 1

Bei Ungleichheit wird **niet zo ... als** *nicht so ... wie* oder **minder ... dan** (oder: **als**, besonders in der gesprochenen Sprache) *weniger ... als* gebraucht.

Hij is **niet zo** groot **als** ik. *Er ist nicht so groß wie ich.*

Merke: zo	**goed**	**mogelijk**	= so	gut	wie möglich
	vlug			schnell	
	usw.			*usw.*	

In Redewendungen mit **mogelijk** fällt **als** weg.

Wie im Deutschen ist die Endung zur **Steigerung des Adjektivs -er.**
Grundsätzlich bleibt aber im Niederländischen der Stamm unverändert (kein Umlaut!):

groot   *groß*   –   groter

Besonderheiten:

1. Bei Adjektiven auf **-r** ist die Endung **-der.**

duur   *teuer*   –   duurder

2. Unregelmäßig sind: goed   *gut*   – **beter**
veel   *viel*   – **meer**
weinig   *wenig*   – **minder**

Bei einem Vergleich mit einem Komparativ gebraucht man das Bindewort **dan** oder **als** *als* (letzteres besonders in der gesprochenen Sprache).

Wij zijn vlugger **dan** (oder: **als**) jullie! *Wir sind schneller als ihr!*

Übung 2

2. Ausdruck des eigenen Willens, der Imperativ, die Bitte

Höflich ausgedrückt wird der auf sich selbst bezogene, **eigene Wille** mittels: **(ik) zou … willen** + **Infinitiv** (ich) möchte.

Ik zou die film graag **willen zien.** *Ich möchte den Film gern sehen.*

Übung 3

Der **Imperativ** drückt einen **Befehl** aus. Seine Form (auch im Plural) besteht einfach aus dem **Verbstamm: Help** mij! *Hilf mir!*
Ausnahme: Wees rustig! *Sei ruhig!*

Dieser Befehlscharakter kann durch den Gebrauch von **eens** [ə(n)s], **even** oder **eens even** *mal* und/oder durch die Hinzufügung von **asjeblieft** *bitte* (*sehr*) abgeschwächt werden.

Help mij eens (even) (oder: even), (asjeblieft). *Hilf mir mal, (bitte).*

Übungen 4–5

Die betreffende **Höflichkeitsform** ist mit der **Präsensform** identisch, eventuell durch **(eens) (even)** *mal* und/oder **alstublieft** *bitte* (*sehr*) ergänzt.

Helpt U mij eens (even) (oder: even), (alstublieft). *Helfen Sie mir mal, (bitte).*
Ausnahme: Weest U zo vriendelijk. *Seien Sie so freundlich.*

Noch höflicher ist dabei in der Frageform die Umschreibung mit **zou U ... willen, (alstublieft)**? *Würden Sie (bitte) ...?*
Zou U mij (alstublieft) **willen** helpen? *Würden Sie mir (bitte) helfen?*

Merke: willen steht dabei immer vor dem abhängigen Infinitiv (vgl. das erste und das letzte Beispiel dieses Kapitels).

Übungen 6–7–8

Übungen   **10 C**

1. Drücken Sie die Gleichheit aus. Nach dem Modell: Nederlands is moeilijker dan Duits. – Nederlands is even moeilijk als Duits. – Nederlands is net zo moeilijk als Duits.
Jan studeert harder dan Piet. – Zijn auto rijdt vlugger dan de mijne. – Bloemen zijn mooier dan planten. – Mijn vader verdient meer dan ik. – Het is buiten kouder dan binnen.

2. Gebrauchen Sie den Komparativ. Nach dem Modell: Nederlands is even moeilijk als Duits. – Nederlands is moeilijker dan Duits. (... als Duits).
Jan is even groot als ik. – De koningin is net zo populair als haar man. – Melk is even goed als bier. – Deze zomer is even warm als de vorige. – Hij begrijpt er even weinig van als ik. – Een broodje is net zo lekker als gewoon brood. – Hij krijgt even veel vakantie als ik.

3. Drücken Sie den eigenen Wunsch höflich aus. Nach dem Modell: Ik wil die film zien. – Ik zou die film willen zien.
Ik wil graag gaan zwemmen. – Bij dit weer willen wij liever binnenblijven. – Ik ga die winkel liever niet in. – Zij willen zich bij U verontschuldigen. – Wij willen met de trein van vier uur vertrekken. – Hij wil zijn vakantie aan zee doorbrengen.

4. Bilden Sie den Imperativ. Nach dem Modell: Oppassen voor gladheid. – Pas op voor gladheid!
Me niet kwalijk nemen. – Ons eindelijk met rust laten. – Niet zo onrustig zijn. – De ramen goed sluiten. – Nog wat bier halen. – Hier stoppen. – Naar dat mooie meisje kijken. – Gaan zitten. – Een andere jurk aantrekken.

5. Gebrauchen Sie, **nach Möglichkeit**, in den vorigen Sätzen **eens, even** oder **eens even** und **asjeblieft**. Nach dem Modell: Laat ons eens eindelijk met rust, asjeblieft!

6. Bilden Sie Imperativsätze in der Höflichkeitsform. Nach dem Modell: Dat venster opendoen. – Doet U dat venster open.
Mij maar volgen. – Niet hier blijven staan. – Het nog eens proberen. – Binnenkomen. – Die TV afzetten. – Nu niet weer overdrijven. – Komen kijken. – Niet zo ongeduldig zijn.

7. Gebrauchen Sie, **nach Möglichkeit**, in den vorigen Sätzen **eens, even** oder **eens even** und **alstublieft**. Nach dem Modell: Doet U dat venster eens (even) open, alstublieft.

8. Bilden Sie die vorigen Sätze zu höflichen Fragesätzen mit **alstublieft** um. Nach dem Modell: Zou U dat venster alstublieft willen opendoen?

10 D

's avonds ['sa:ʋən(t)s] abends
huiskamer ['həʏska:mər] Wohnzimmer
ouders ['audərs] *pl.* Eltern *pl.*
gebeurtenis [ɣəˈbøːrtənɪs] Ereignis
het toetje ['tuˑtïə] der Nachtisch
tafel Tisch
bioscoop [biˑ(j)ɔsˈkoːp] Kino
nieuw [niˑü] neu
dolgraag furchtbar gern
doof taub
zich Oostindisch [oːstˈɪndiˑs] **doof houden** ['haüə(n)] den Tauben spielen
het kassucces ['kɑsøksɛs] der Kassenschlager
aanschuiven ['aːnsxəʏʋə(n)] anstehen
een reden te meer ein Grund mehr
droog trocken
opmerken bemerken

het spijt [spɛɪt] **me** es tut mir leid
dadelijk ['da:dələk] gleich
het partijtje [pɑrˈtɛɪtïə] **schaak** die Partie Schach
bovendien [boːʋə(n)ˈdiˑn] außerdem
meestal meistens
in slaap vallen einschlafen
of oder
hoofdpijn ['hoːftpɛɪn] Kopfschmerzen *pl.*
lijken scheinen
opklaren sich aufklären
alvast [ɑlˈʋast] inzwischen (schon)
jurk [jœr(ə)k] Kleid
aantrekken anziehen
koud (kouder ['kaüər]) kalt (kälter)
achteraan [ɑxtəˈraːn] hinten
leeg leer

11. Stunde

Marijke is jarig   11 A

Marijke heeft het heel druk met de voorbereidingen van haar verjaardagsfeestje, waarvoor ze speciaal een middag vrij genomen heeft. Wat komt er veel bij kijken, als je tweeëntwintig mensen op bezoek krijgt, denkt ze.

De telefoon rinkelt. Marijke neemt op.

„Met Verheyde", zegt ze.

„Dag Marijke. Met Hein. Hoe gaat het? Kan je alles aan of zal ik je komen helpen?"

„Dag Hein. Fijn dat je belt. Eerlijk gezegd kan ik je hulp best gebruiken. Mijn oudste broer en mijn moeder helpen mij hier wel, maar ik moet ook nog veel boodschappen doen, die ik niet allemaal zelf kan dragen."

„Wacht even, Marijke, ik zal eens vragen of ik de wagen een paar uur mag hebben.

Hallo, ben je er nog? Het is in orde. Ik kom zo vlug mogelijk!"
Marijke kan de meeste dingen die op haar lijstje staan meteen in de supermarkt kopen.

„Ik hoop dat we genoeg drank in huis hebben", zegt ze.

„Maak je geen zorgen. Die zes kratten bier die in de kelder staan, zullen toch wel genoeg zijn, zeker? En ondanks al die drukte vergeet ik toch niet je als eerste van harte te feliciteren met je verjaardag."

„Dank je wel!"

„Als je nog van mij houdt, geef ik je ook een zoen!"

Erläuterungen   11 B

1. Das Relativpronomen

Das Relativpronomen lautet **die**; mit einer Ausnahme wiederum: das Neutrum Singular heißt **dat**.

De krant **die** ik lees, is van gisteren. *Die Zeitung, die ich lese, ist von gestern.* – Het huis **dat** je daar ziet, is verkocht. *Das Haus, das du da siehst, ist verkauft.*

Nach **Präpositionen** wird **waar-** + die betreffende Präposition gebraucht: De tunnel **waardoor** wij rijden, is nieuw. *Der Tunnel, durch den wir fahren, ist neu.*

Achtung: met *mit* wird im adverbialen Gebrauch **mee**.

De hond **waarmee** ik ging wandelen, is niet van mij. *Der Hund, mit dem ich spazieren ging, gehört nicht mir.*

Wenn es dabei um **Personen** geht, wird in der gehobenen Sprache jedoch **wie** bevorzugt.

De man met **wie** ik sprak, is nu ziek. *Der Mann, mit dem ich sprach, ist jetzt krank.*

Ähnliches gilt beim „eigentlichen Dativ" (= beim zweiten Objekt, vgl. 4 B): hier gebraucht man **(aan) wie.**

De man **(aan) wie** ik het boek gegeven heb, ... *Der Mann, dem ich das Buch gegeben habe, ...*

Wenn es schließlich bei Personen um die Besitzangabe (= „Genitiv") geht, findet sich in der Schriftsprache manchmal **wier** *deren* und **wiens** *dessen*. Gebräuchlicher ist jedoch **van wie** (oder, in der Umgangssprache: **waarvan**).

Mijn vriend **van wie** (oder: **wiens,** oder: **waarvan**) het geld op is, ... *Mein Freund, dessen Geld alle ist, ...*

Übungen 1–2

2. Adjektiv: Superlativ

Die Superlativendung ist beim **adjektivischen Gebrauch** in der Regel **-ste.**

groot: de groot**ste** fout *der größte Fehler*
Die Adjektive auf **-s** bekommen nur **-te.**

wijs: de wij**ste** oplossing *die weiseste Lösung*
Bei Adjektiven auf **-en, -isch** [-iˈs] und **-st** wird der Superlativ meistens mit **meest** umschrieben.

bescheiden: de **meest** bescheiden man *der bescheidenste Mann*
fantastisch: de **meest** fantastische film *der fantastischste Film*
juist: het **meest** juiste antwoord *die richtigste Antwort*

Unregelmäßig sind:

goed	*gut*	–	**best**
veel	*viel*	–	**meest**
weinig	*wenig*	–	**minst**

Das Niederländische gebraucht auch bei Vergleichen zwischen **zwei** Personen oder Gegenständen den Superlativ.

jong: het **jongste** van onze twee kinderen *das jüngere unserer beiden Kinder*

Übung 3

Adverbien im Superlativ bekommen **het** davor und die Endung **-st(e).**
Hij zwom **het** verst(e). *Er schwamm am weitesten.*

Übung 4

Übungen   11 C

1. Bilden Sie Relativsätze. Nach dem Modell: De stoel/ik heb de stoel gekocht. – De stoel die ik gekocht heb.
Het kind/ik heb het kind gezien. – De mensen/je kent de mensen. – De sleutels/ik heb de sleutels verloren. – De rekening/zij betalen de rekening niet. – De jongen/ik heb de jongen geholpen. – Het geld/wij hebben het geld van de bank afgehaald.

2. Bilden Sie Relativsätze. Nach dem Modell: De stoel/je zat op de stoel. – De stoel waarop je zat.
Het bed/U heeft in het bed geslapen. – Het boek/hij las uit het boek voor. – Onze buren/we hadden ruzie met onze buren. – De auto/ik heb met de auto gereden. – Die vrouw/de man van die vrouw is gestorven. – De man/je vroeg de man de weg. – Mijn verloofde/ik heb met mijn verloofde getelefoneerd. – Het stuk/de kritiek over het stuk was zeer gunstig. – De mensen/ik heb geen vertrouwen in de

mensen. – De juffrouw/hij werd door de juffrouw geholpen. – Mijn oom/het huis van mijn oom is afgebrand. – Mijn ouders/ik heb het mijn ouders beloofd.

3. Bilden Sie den Superlativ. Nach dem Modell: Dat is een dure auto. – Dat is de duurste auto.
Mijn broer kreeg een groot stuk vlees. – In die bioscoop lopen altijd spannende films. – Zij zijn populaire zangers. – Dat is goede wijn. – Zij gaf een gepast antwoord. – Hij is een verlegen jongen. – Dat zijn hoge bergen. – Hij had een snelle bromfiets.

4. Bilden Sie den Superlativ. Nach dem Modell: Het begin is moeilijk – Het begin is het moeilijkst(e).
Die studenten werken hard. – Ik wandel graag door de bossen. – In dat restaurant eet men goed. – Hier was het warm. – Hij zong mooi.

5. Übersetzen Sie: Ist dies der kürzeste Weg nach Breda? Ich kenne noch einen anderen Weg, der sogar besser ist! Sie (= U) brauchen dann nicht durch die Innenstadt zu fahren. Oder noch besser: folgen Sie mir einfach! – Du hast noch weniger Geld als ich! – Wer ist der Ältere von euch beiden? – Er wollte immer die besten und teuersten Plätze.

11 D

jarig zijn ['jaːrəx sɛɪn] Geburtstag haben
het druk [drək] hebben viel zu tun haben
het verjaardagsfeestje [-feːʃə] das Geburtstagsfest
speciaal [speˈsɪaːl] eigens
er komt veel bij kijken es ist nicht so einfach
op bezoek [bəˈzuˑk] zu Besuch
aankunnen bewältigen, schaffen
hulp [həl(e)p] Hilfe
broer [bruːr] Bruder
boodschap Besorgung

allemaal alle
zelf selbst
in orde in Ordnung
het lijstje ['lɛɪʃə] die Liste, der Zettel
meteen [meˈteːn] gleich
drank Getränke pl.
krat Kasten, Kiste
kelder Keller
ondanks trotz
drukte Trubel
van harte herzlich
feliciteren [feˑliˑsiˈteːrə(n)] gratulieren
zoen [zuˑn] Kuß

12. Stunde

Bij de huisarts   A 12

In de wachtkamer van de dokter wachten patiënten. De meesten lezen in de tijdschriften, waarvan er een aantal op een tafeltje lagen.
Het is halftwee. Het spreekuur van de dokter begint pas om twee uur, maar veel mensen komen liever een halfuur vroeger.

Er wordt gebeld. De assistente zegt tegen de binnenkomende vrouw: „Gaat U maar zitten. U wordt geroepen als U aan de beurt bent."
Anderhalf uur later is het zover.
„Goedemiddag, dokter."
„Dag mevrouw. Vertelt U eens wat U scheelt."
„Sinds gisteren voel ik me erg slap. Als ik lang sta, heb ik het gevoel dat ik door mijn knieën zak. Koorts heb ik echter niet. Ik heb vanmorgen nog de temperatuur opgenomen."
„Heeft U nog meer klachten?"
„Ja, dokter, ik heb een ontzettende hoofdpijn, en mijn keel doet pijn."
Terwijl ze praat, haalt ze een zakdoek uit haar tas en snuit luidruchtig.
„Ik zal U even onderzoeken." De dokter luistert met de stethoscoop naar de ademhaling. „Wilt U diep in- en uitademen? Goed zo! Doet U Uw mond eens wijd open. Uw tong is beslagen en Uw keel is ontstoken. Mevrouw, U hebt een zware verkoudheid. U moet minstens een week binnenblijven. Ik zal U een recept voorschrijven. De tabletten neemt U driemaal daags na de maaltijd in. Van het hoestdrankje neemt U één eetlepel per dag."
„Hartelijk dank, dokter." „Dag mevrouw."

Erläuterungen   12 B

1. Substantiv: Plural der Substantive auf -ie
Der Akzent ist hier für die Pluralbildung entscheidend:
1. Wenn der Akzent auf der Endsilbe -ie liegt, dann ist die Pluralendung -ën (Beachte das Trema!).
sympathie *Sympathie* – sympathieën
2. Liegt der Akzent nicht auf dieser Endsilbe, so wird der Plural in der Regel mit -s gebildet (manche haben daneben auch ˝-n).
kolonie [ko‧ˈloːni‧] *Kolonie* – kolonies (oder: koloniën)
commissie *Kommission* – commissies
Merke zur Wortbildung: ˈ-tie [ˈ-si‧], nach Vokal [ˈ-(t)si‧] (mit -s im Plural) entspricht sehr oft dem deutschen **-tion**:
produktie [pro‧ˈdəksi‧] Produktion
organisatie [ɔrɣani‧ˈzaː(t)si‧] Organisation

2. Das Passiv

Wie im Deutschen wird das Passiv mit dem Hilfsverb **worden** bzw.
zijn (letzteres in den zusammengesetzten Zeiten) gebildet.
Die **Präposition** beim handelnden Objekt ist allerdings immer **door**
durch, von.

> Mijn koffers **werden door** de douanier **geopend.** *Meine Koffer
> wurden vom Zollbeamten geöffnet.*

Merke: Het meisje **wordt door** een collega **geholpen.** *Dem Mädchen
wird von einem Kollegen geholfen.*

Het meisje ist hier ganz normales Subjekt: es handelt sich hier ja
nicht um einen „eigentlichen Dativ"!
In den **zusammengesetzten Zeiten** gibt es im Niederländischen nur
eine Form: De zieke is onderzocht. *Der Kranke ist untersucht worden.*
Wenn man ausdrücklich die Handlung selbst bezeichnen will, muß
man auf das Imperfekt ausweichen: De zieke werd onderzocht. *Der
Kranke wurde untersucht.*

Übung 2

3. Die Uhrzeit

Bis zur 30. Minute wird die Uhrzeit durch **over** *nach* angegeben,
danach mit **voor** *vor.*

om twee uur	*um zwei Uhr*
om tien (minuten) **over** twee	*zehn (Minuten) nach zwei*
om twintig (minuten) **voor** twee	*zwanzig (Minuten) vor zwei*
om **kwart** over (voor) twee	*um Viertel nach (vor) zwei*
om halftwee	*um halb zwei*

Übung 3

Übungen   **12 C**

1. Bilden Sie den Plural. Nach dem Modell: Hij heeft een grote
familie. – Ze hebben grote families.
De nationale economie verbeterde haar positie. – Zijn reactie is
altijd onberekenbaar geweest. – In het verkeer kom je soms in een
onverwachte situatie. – Hij kon zijn politieke sympathie nooit helemaal verbergen. – Onze vakantie viel niet in dezelfde maand. – De
zanger zong een mooie melodie. – Er was dit jaar geen promotie. –
Die zware studie had hij eindelijk achter de rug! – Zij brak gisteren
haar knie.

2. Bilden Sie Passivsätze. Nach dem Modell: Het personeel verliet de zaal. – De zaal werd door het personeel verlaten.

De zon verbrandde zijn rug. – De arts heeft mijn arm onderzocht. – De moeder gelooft het kind niet meer. – Een wandelaar vond het geld. – De politieman regelt het verkeer. – De buren waarschuwen de brandweer. – Het publiek volgde zijn woorden met spanning. – De mensen keken mij vreemd aan. – Een onbekende heeft mijn moeder vanmorgen opgebeld.

3. Lesen und schreiben Sie die Uhrzeiten. Nach dem Modell: Het is 12.05 u. – Het is vijf over twaalf.

Het is ... 3.45 u., 7.30 u., 20.35 u., 6.55 u., 10.30 u., 22.15 u., 15.40 u., 8.25 u., 9.50 u., 11 u.

4. Übersetzen Sie: Der Patient ist ganz untersucht worden, aber der Arzt, mit dem ich gerade noch gesprochen habe, hat nichts gefunden. Vielleicht weiß niemand, was ihm fehlt? Aber so kann es auch nicht weitergehen! Essen kann er schon seit zwei Wochen nicht mehr: er muß sich dann immer übergeben. Außerdem hat er regelmäßig hohes Fieber. Zum Glück wird er noch diese Woche in das Krankenhaus aufgenommen. Eigentlich hat er das nie gewollt, aber ihm muß doch geholfen werden! Eine Operation wird also wohl notwendig sein. Sie (= U) haben recht: ohne eine neue Operation wird er wohl nie wieder gesund werden.

12 D

huisarts ['hǝysɑrts] praktischer Arzt
het tijdschrift ['tɛïtsxrɪft] die Zeitschrift
het aantal ['a:ntɑl] die Anzahl
het spreekuur ['spre:ky:r] die Sprechstunde
het halfuur die halbe Stunde
vroeger ['v̌ru·ɣ̌ǝr] früher
er wordt gebeld es klingelt
assistente Assistentin
anderhalf anderthalb
zover [zo·'v̌ɛr] soweit
wat scheelt U? was fehlt Ihnen?
sinds seit
slap schlaff
door zijn knieën zakken in die Knie gehen
koorts Fieber
echter jedoch, aber

klacht Beschwerde
ontzettend entsetzlich
pijn doen [pɛïn du·n] wehtun
terwijl [tǝr'vɛil] während
zakdoek ['zɑgdu·k] Taschentuch
snuiten ['snǝytǝ(n)] schneuzen
luidruchtig [lɛyt'rɵxtǝx] laut
ademhaling Atmung
tong Zunge
beslagen belegt
ontsteken entzünden
zwaar schwer
verkoudheid [v̌ǝr'kɑuthɛït] Erkältung
minstens mindestens
week Woche
daags täglich, am Tag
het hoestdrankje der Hustensaft
eetlepel ['e:tle:pǝl] Eßlöffel
hartelijk ['hɑrtǝlǝk] herzlich

13. Stunde

De liefde gaat door de maag 13 A

Mevrouw De Leeuw is benieuwd wat de pot vanavond schaft. Haar man kokkerelt graag en het gebeurt weleens, vooral op een weekend, dat hij zegt: „Lies, vandaag hoef je niet te koken. De keuken is van nu af voor iedereen verboden terrein, anders is het geen verrassing meer!"

„Wat eten we?", vraagt ze lachend. „Laat mij raden: varkenskotelet met snijboontjes en gekookte aardappelen? Stamppot? Kip met friet en appelmoes? Kabeljauw in botersaus?"

„Nee, er komt geen alledaagse kost op tafel, maar iets veel beters!", zegt hij geheimzinnig. „De naam van de gerechten alleen al klinkt als muziek in de oren. Je mag niet ongeduldig worden! Het duurt nu niet lang meer: over een uur krijgen jullie een vorstelijke maaltijd."

„Je maakt mij wel nieuwsgierig, hoor! Maar ik zal echt niet stiekem in de potten en pannen komen kijken!"

Als het eten klaar is, roept meneer De Leeuw: „Aan tafel!". Arnout zegt: „Pap, dat is vis noch vlees!"

„Jij bent een domme jongen", zegt zijn vader, „het is een delicatesse: lamsbout met Brussels lof."

„En als toetje, pap?"

„Geen toetje, Arnout, maar iets veel chiquers: als dessert krijgen we sherrysoufflé."

„Nou, Jan," zegt zijn vrouw, „het was meer dan zalig en heerlijk, het was verrukkelijk, schat. Jongens, helpen jullie je vader afwassen?"

Erläuterungen 13 B

1. Verben + Infinitiv

Wie im Deutschen können eine Anzahl von Verben einen Infinitiv regieren. Vergleiche:

> Hij **wil** komen. *Er will kommen.* – Ik **hoor** hem zingen. *Ich höre ihn singen.* – Het kind **leert** spreken. *Das Kind lernt sprechen.*

Das Niederländische hat hier aber mehr Möglichkeiten. Diese Struktur ist sehr gebräuchlich bei den Verben:

blijven *bleiben*: Hij **bleef** staan. *Er blieb stehen.* – Aber auch: **Blijf** je eten? *Bleibst du zum Essen?* (Also nicht nur mit „Infinitiven der Ruhe").

doen *tun*: Jij **doet** me lachen! *Du bringst mich zum Lachen!* (**Doen** ist „stärker", aktiver als **laten** *lassen*).

durven *wagen*: Hij **durft** niet (te) komen. *Er wagt es nicht, zu kommen.* (Hier ist das **te** *zu fakultativ*).

gaan *gehen*: Ik **ga** slapen. *Ich gehe schlafen.* – Aber auch: Het **gaat** regenen. *Es wird (bald) regnen.* (Vgl. Englisch "I'm going to").

helpen *helfen*: Ik **hielp** hem opstaan. *Ich half ihm aufzustehen.*

komen *kommen*: Ik **kom** je morgen afhalen. *Ich komme dich morgen abholen.* (Im Niederländischen ganz normal, im Deutschen Umgangssprache).

In den **zusammengesetzten Zeiten** ist die Reihenfolge der Infinitive **umgekehrt,** wie schon in 10 B angedeutet:

Ik heb hem **willen spreken.** *Ich habe ihn sprechen wollen.* – Heb je hem **zien vallen?** *Hast du ihn fallen sehen?*

Außerdem bleibt dann bei **allen** Verben der **Infinitiv erhalten:**

Hij is **blijven liggen.** *Er ist liegen geblieben.* – Ik heb hem **leren kennen.** *Ich habe ihn kennengelernt.*

Übung 1

2.

maar = 1. aber, sondern; 2. nur

1. Zij is moe, **maar** ik niet! *Sie ist müde, aber ich nicht!*

2. Hij had nog **maar** twee gulden op zak. *Er hatte nur noch zwei Gulden in der Tasche.*

Das sehr häufige **maar** hat zwei Bedeutungen:

1. als Konjunktion = aber, sondern

2. als Adverb = nur. (Das gleichbedeutende Adverb **slechts** gehört der Schriftsprache an).

Übungen   13 C

1. Bilden Sie das Perfekt. Nach dem Modell: Ik kon het niet verhinderen. – Ik heb het niet kunnen verhinderen.

Ik voelde de spanning stijgen. – De fietser bleef na de val liggen. – De kinderen hoorden hun ouders haast elke dag ruzie maken. – Ik kon mijn ogen niet geloven. – Mijn dochter kwam mij van het station afhalen. – We moesten haar gelijk geven. – Hij durfde niets zeggen. – Wij leerden autorijden. – De crisis deed de onrust toenemen. – Ze mochten geen lawaai maken. – Ik zag het ongeluk aankomen. – We gingen achteraan zitten. – Zij hielpen allemaal mee afwassen. – Ik wou het je nog zeggen. – Hij liet zijn bril vallen. – Het bleef de hele dag regenen.

2. Übersetzen Sie: Ich war gerade mit den Kindern im Meer schwimmen gegangen. Das Wetter war sehr schön, wir waren schon den ganzen Tag an dem Strand. Ich fragte meine Frau, wie spät es war. „Es ist zehn nach vier", antwortete sie. „Bist du sicher? Es muß viel später sein." „Jetzt sehe ich es: meine Uhr ist stehengeblieben!" „Aber dann müssen wir sofort losfahren! Unsere Freunde in Brügge erwarten uns gegen fünf Uhr. Oder hattest du das vergessen?" „Um ehrlich zu sein: ja." „Wir können sie aber doch nicht warten lassen!" „Natürlich nicht! Gehst du schon mit den Kindern nach Hause? Ich laufe noch schnell zum Blumengeschäft. Soll ich Nelken kaufen?" „Ja, in Ordnung. Bis nachher!"

13 D

liefde Liebe
maag Magen
benieuwd [bə'ni·üt] gespannt
wat schaft de pot? was gibt es zu essen?
kokkerellen [kɔkə'rɛlə(n)] kochen, den Koch spielen
weleens ['ʋɛlə(n)s] (schon) mal
vooral [ṽo:'rɑl] vor allem
het weekend ['ʋiːkɛnt] das Wochenende
van nu [ny·] af von jetzt an
het terrein [tɛ'rɛĩn] das Terrain, das Gebiet
anders sonst; anders
verrassing Überraschung
varkenskotelet Schweinskotelett
snijboontjes ['snɛïbo:ntĩəs] pl. Schnittbohnen pl.
gekookte aardappelen pl. Salzkartoffeln pl.
stamppot Eintopf
kip Hähnchen

friet Pommes frites pl.
botersaus Buttersoße
alledaags alltäglich
het gerecht das Gericht
duren ['dy:rə(n)] dauern
over een uur in einer Stunde
vorstelijk ['ṽɔrstələk] fürstlich
stiekem ['sti·kəm] heimlich
pot Topf
klaar fertig
noch (weder ...) noch
lamsbout ['lɑmzbɑut] Lammkeule
het Brussels ['brəsəls] lof [lɔf] die Chicorée
chic [ʃi·k] (chiquer) schick (schicker)
sherrysoufflé ['ʃɛri·su·fleː] Auflauf mit Sherry
zalig ['za:ləx] himmlisch
heerlijk ['heːrlək] herrlich
verrukkelijk [ṽə'rəkələk] entzückend, göttlich

14. Stunde

De weg vragen   14 A

Op het Astridplein in Antwerpen staat een heer die haast wanhopig rondkijkt. Van alle kanten komen er straten op het plein uit, de ene al drukker dan de andere, en hij weet echt niet welke kant hij uit moet. En een plattegrond van de stad heeft hij niet.

De mensen lopen snel langs hem heen.

Ik zal toch iemand moeten aanspreken, denkt hij.

Die dame lijkt hem wel aardig.

„Neemt U mij niet kwalijk, mevrouw, kunt U me zeggen waar 't Steen is?", vraagt hij met een licht buitenlands accent.

„Jawel, ik kan U uitleggen hoe U Uw doel het best kunt bereiken. Het is niet eens moeilijk te vinden. U gaat hier rechtsaf en loopt de straat met bomen in. U loopt alsmaar rechtuit, steekt bij de verkeerslichten de lanen over. U komt dan op de Meir, de belangrijkste winkelstraat van de stad. Die loopt U helemaal uit tot U tenslotte weer op een plein komt. Bij de kathedraal ziet U een bord waar „Schelde" opstaat. En daar, vlak bij de Schelde, is ook 't Steen. Denkt U dat U het kunt onthouden?"

„O ja, daar twijfel ik niet aan. U heeft het heel duidelijk uitgelegd!"

„Ik weet niet of U graag wandelt, maar het is nogal ver. U kunt net zo goed de bus of de tram nemen en dan bent U er tenminste zeker van dat U niet mis zult lopen."

„Dat doe ik. Hartelijk dank, mevrouw."

„Niets te danken. Dag meneer."

Erläuterungen   **14 B**

1. Wortstellung im Nebensatz

Im allgemeinen ist die Wortfolge auch im Nebensatz mit der deutschen identisch.

Besonderheiten, welche die **Stellung des Verbs** betreffen:

1. Das **konjugierte Verb** + **Infinitiv** steht im Nebensatz **vor** dem Infinitiv (wie ja auch im Falle von Infinitiv + Infinitiv, vgl. 13 B):

Ik geloof dat zij niet **zal komen**. *Ich glaube, daß sie nicht kommen wird.* – Ik weet niet of zij mij **komt afhalen**. *Ich weiß nicht, ob sie mich abholen kommt.*

Ausnahme: Die konjugierten **modalen** Verben (laten, moeten, zullen, …) stehen manchmal auch, wie im Deutschen, hinter dem Infinitiv:

Ik geloof dat zij niet **komen zal**. *Ich glaube, daß sie nicht kommen wird.*

2. hebben, worden oder **zijn** + **Partizip**
Diese Verben können im Nebensatz vor oder hinter dem Partizip
stehen:
> Ik zeg dat jij je **vergist hebt!** = ... dat jij je **hebt vergist!** *Ich sage,
> daß du dich geirrt hast!* – Zonder **gekeken te hebben** liep hij de
> straat over. = Zonder **te hebben gekeken** ... *Ohne geguckt zu
> haben, überquerte er die Straße.*

Merke dazu: 1. die deutsche Wortfolge ist also immer richtig!
2. Diese Wahlmöglichkeit gibt es nur bei Partizipien. Sonst gilt **nur**
die deutsche Wortfolge:
> Ik hoor dat je ziek bent. *Ich höre, daß du krank bist.*

Übungen 1–2

2. Das Adverbialpronomen: erin, ermee, ... daarin, daarmee, ...

> Ik twijfel **eraan.** *Ich zweifele daran.* – Hij weet **ervan.** *Er weiß davon.*
Bei besonderer **Betonung** (und die gilt immer am **Satzanfang**) gebraucht man **daar**...: Daaraan twijfel ik. *Daran zweifele ich.*

Besonderheiten zur Wortfolge:

1. Wenn der Satz ein Adverb und/oder ein Objekt (manchmal ganze
Satzteile!) hat, müssen **er** oder **daar** und die betreffende Präposition
getrennt werden:
> Ik twijfel **er** niet **aan.** *Ich zweifele nicht daran.* – Hij heeft **daar**
> natürlich veel **aan** gedacht. *Er hat natürlich viel daran gedacht.*

2. Bei **daar** am Satzanfang **kann** sogar praktisch der ganze Satz
zwischen **daar** und Präposition geschoben werden.
> **Daar** ga ik niet **mee** akkoord. = **Daarmee** ga ik niet akkoord.
> *Damit bin ich nicht einverstanden.*

Achtung: naar *nach, zu, in* wird im adverbialen Gebrauch **heen; met**
wird dann bekanntlich **mee** (vgl. 11 B):
> Ik ga graag **naar** de bioscoop./Ik ga **er** graag **heen.** *Ich gehe gerne
> ins Kino./Ich gehe gerne hin.*

Übung 3

Übungen　　　　　　　　　　　**14 C**

1. Bilden Sie einen Objektsatz. Nach dem Modell: Hij zegt mij wel te
willen geloven. – Hij zegt dat hij mij wel wil geloven.
Mijn broer schrijft mij van niets geweten te hebben. – Ik hoop nog
eens te mogen komen. – Beloof je het niet te zullen vergeten? – Hij

meent bestolen te zijn. – Ik geloof die film al eens gezien te hebben. –
Zij ziet in beter te moeten opletten. – Hij denkt altijd gelijk te hebben.– Hij belooft mij te komen helpen. – Hij zegt het niet te durven geloven. – Hij vond het niet erg alleen voor het ontbijt te moeten zorgen.

2. Bilden Sie einen Objektsatz. Nach dem Modell: Het zal droog blijven. Ik hoop. – Ik hoop dat het droog zal blijven.
Ik hoor het donderen. Ik geloof. – Wij gaan slecht weer krijgen.
Ik denk. – Hij heeft een zwaar ongeval gehad. Ik heb gehoord. –
Mijn vader ziet er slecht uit. Vind je? – Ik ben hier geweest. Het is meer dan twintig jaar geleden. – Het is erg druk op de wegen. Hij zegt.
– Hij werd op straat aangesproken. Ik zag. – Ik kan niet komen helpen. Het spijt mij. – 't Steen is de oudste burcht van Antwerpen.
Weet U? – Je wordt weer vlug beter. Ik ben zeker. – Zij blijven niet slapen. Ik meen. – Hij moest overgeven. Hij was zo ziek. – Wij leren Nederlands spreken. Hij vindt het leuk. – Zij had een zwarte jurk gekocht. Hij vertelde. – Hij zal het niet kunnen onthouden. Ik denk.

3. Benutzen Sie ein Adverbialpronomen. Nach dem Modell: Ik twijfel niet aan zijn eerlijkheid. – Ik twijfel er niet aan.
Wij keken naar de televisie. – U bent ook op het feest uitgenodigd. –
Het kind is gisteren in het diepe water gevallen. – Hou jij ook van vis? – Hij ging vlug op de stoel zitten. – Ik ga niet akkoord met je voorstel. – Zij had allang geen zin meer in de studie. – Hij sprak dikwijls over zijn plannen. – Mijn kennissen gaan elk jaar met hun familie naar Nederland. – Zij genieten van de zon.

4. Übersetzen Sie: In einer Stadt, die man (=je) nicht kennt, hat man als Ausländer manchmal Schwierigkeiten, den Weg zu finden. Es ist dann praktischer, einen Stadtplan mitzunehmen oder zu kaufen, wenn man sich nicht verirren will. Teuer sind die meistens nicht. Sonst ist man auf die Hilfe anderer angewiesen. Oft ist es besser, einen Taxifahrer oder den Straßenbahnschaffner nach dem Weg zu fragen. Auch in vielen Bahnhöfen kann man Auskunft einholen.

14 D

het plein [plɛĭn] der Platz
wanhopig [ʋɑnˈhoːpəx] verzweifelt
kant Seite
welke kant uit [əʏt] in welcher Richtung
plattegrond (van een stad) Stadtplan
aardig [ˈaːrdəx] nett, hübsch
het accent [ɑkˈsɛnt] der Akzent
uitleggen erklären
het doel [duˑl] das Ziel
bereiken erreichen
rechtsaf nach rechts
boom Baum

alsmaar immer nur
rechtuit geradeaus
laan Allee
belangrijk [bəˈlaŋrɛĭk] wichtig
uitlopen hinunterlaufen
tenslotte schließlich
het bord das Schild
vlak bij ganz nahe
onthouden [ɔntˈhɑŭə(n)] behalten
twijfelen [ˈtœĭfələ(n)] zweifeln
nogal [nɔˈɣɑl] ziemlich
tenminste wenigstens
mislopen sich verirren

15. Stunde

In het hotel

Door de draaideur van een hotel stapt een heer met bagage in de hand de hal binnen. Bij de receptie zegt hij: „Goedemiddag, mijn naam is Naumann. Ik heb gisteren telefonisch een tweepersoonskamer gereserveerd."

„Dat klopt, meneer Naumann. Ik zal U even voorgaan naar kamer zevenendertig. U bent zeker moe van de verre reis? Laat U Uw koffers maar staan. Ze worden straks naar Uw kamer gebracht. We zijn er. Hier is de badkamer; boven de wastafel is het stopcontact voor een scheerapparaat."

„De kamer bevalt me. Mijn vrouw zal opgetogen zijn over het uitzicht."

„Als U van duinen en de zee houdt, kunt U het niet beter treffen. Heeft U nog wensen?"

„Ik had graag een tweede hoofdkussen en een doosje lucifers. Kan ik mijn wagen bij het hotel parkeren?"

„Jazeker, achter het hotel is een kleine parkeerplaats voor onze gasten. U kunt ook een garage huren, als U dat wil."

„Nee, dank U wel. Zo lang blijven we toch niet."

„Zoals U wil. Als U iets nodig heeft, drukt U op dit knopje. Telefoongesprekken kunt U bij de receptioniste aanvragen. In het kastje naast het bed vindt U ook een telefoongids.
Voor het ontbijt, dat tot halfelf geserveerd wordt, moet U één trap afgaan. De zaal ligt op de eerste etage, aan het einde van de gang."

„Ik zal wel afgaan op de geur van de koffie en de verse broodjes. Mijn vrouw komt zo dadelijk aan. Ze zal ons allebei inschrijven. Alstublieft, dat is dan voor de moeite."

„Dank U wel, meneer."

Erläuterungen

1. Trennbare – untrennbare Verben

Es geht hier um die Frage der Trennbarkeit bzw. Untrennbarkeit der zusammengesetzten Verben.

Es gelten im allgemeinen die deutschen Regeln:
Hij **onderzoekt** het probleem. *Er untersucht das Problem.* – Het
schip **ging onder**. *Das Schiff ging unter.*

Übung 1

Bei den **Abweichungen** geht es oft auch um Bedeutungsunterschiede:
aan: zwei (weniger frequente) Verben sind im Niederländischen untrennbar (und haben dementsprechend den Akzent auf dem Verbstamm): **aanbidden** *anbeten* und **aanvaarden** (= aannemen ['aːneː-
mə(n)]) *annehmen:* Ik **aanbid** je! *Ich bete dich an!*
achter *hinter* hat in Verbzusammensetzungen meistens die Bedeutung
zurück und ist dann immer trennbar.
Hij is **achtergebleven**. *Er ist zurückgeblieben.*
her [hɛrˈ-] *wieder* (!) ist untrennbar.
Ze **herstellen** de auto. *Sie stellen das Auto wieder her.*
voor: drei (weniger frequente) Verben sind im Niederländischen
untrennbar: **voorkomen** *zuvorkommen, verhindern* (aber: voorkomen
vorkommen ist trennbar), **voorspellen** *prophezeien* und **voorzien**
voraussehen; vorsehen; versehen.
Zij **voorkwam** een ongeluk. *Sie verhinderte einen Unfall.*
weer: hat die Bedeutung *wieder* und *wider:* in der letzten Bedeutung
ist es wie im Deutschen untrennbar.
Hij zag haar niet **weer**. *Er sah sie nicht wieder.*
Hij **weerstond** de verleiding. *Er widerstand der Versuchung.*

Merke: Die deutsche Bedeutung *wieder* wird oft durch das niederländische untrennbare Präfix **her** ausgedrückt (vgl. oben).

Nur Bedeutungsunterschiede finden sich bei:
door = *durch*, hat aber auch die Bedeutung *fort, weiter.*
Hij ging met de les **door**. *Er fuhr mit dem Unterricht fort.*
over = *über*, hat aber außerdem die Bedeutungen: 1. *wieder*; 2. *übrig.*
Hij laat niets voor mij **over**. *Er läßt nichts für mich übrig.* – Ze doen
de cursus **over**. *Sie machen den Kurs noch mal.*

Übung 2

2. Substantiv: Plural -en neben -s

1. Bei niederländischen Substantiven auf **-e** gibt es einige Schwankungen. (Die betreffenden Fremdwörter **antenne** usw. haben immer **-s**,
vgl. 5 B).
a) einige Wörter mit der Vorsilbe **ge-** (außer substantivierten Partizipien) haben im Plural **-n** oder **-s** (letzteres wird deutlichkeitshalber
vor allem in der gesprochenen Sprache gebraucht).

het gebergte	*das Gebirge*	de gebergten, gebergtes
de gedaante	*die Gestalt*	de gedaanten, gedaantes
het gedeelte	*der Teil*	de gedeelten, gedeeltes
de gemeente	*die Gemeinde*	de gemeenten, gemeentes
de gestalte	*die Gestalt*	de gestalten, gestaltes
de gewoonte	*die Gewohnheit*	de gewoonten, gewoontes

aber: de gedachte *der Gedanke*   de gedachten

b) substantivierte Adjektive und Partizipien haben nur **-n.**

    geleerde   *Gelehrter*   geleerden

c) wenn es um weibliche, von männlichen Personennamen abgeleitete Personenbezeichnungen geht, steht meistens **-s.**

    typiste   *Stenotypistin*   typistes

2. Weitere Schwankungen:

a) bei manchen Substantiven ist die Pluralendung von der Bedeutung abhängig. Die frequentesten sind:

het middel	*das (Hilfs-) Mittel*	de middelen
	die Taille	de middels
het stuk	*Stück (Anzahl)*	stuks
	das Stück	de stukken

b) bei einigen anderen wiederum hat man einfach die Wahl:
so bei Wörtern auf **-or.** Der Akzent ist unterschiedlich:

    motor ['moːtɔr] *Motor*: motors ['moːtɔrs], motoren [moˑ'toːrə(n)]
Bei **appel** *Apfel* (auch in der Zusammensetzung aardappel *Kartoffel*) ist **-en** frequenter als **-s.**

Übung 3

Übungen   15 C

1. Bilden Sie das Imperfekt und das Perfekt. Nach dem Modell: Zich voorbereiden. – Hij bereidde zich voor. – Hij heeft zich voorbereid. Waarschijnlijk meegaan. – Het papiertje weggooien. – Het gesprek onderbreken. – Met een collega samenwerken. – De straat oversteken. – Sterk overdrijven. – Niet graag vroeg opstaan. – De hele familie uitnodigen. – Een grote reis ondernemen. – Hun glazen nog eens voldoen. – Lang aanschuiven. – Diep inademen. – De trap afgaan.

2. Bilden Sie das Imperfekt und das Perfekt. Nach dem vorigen Modell.
Geld achterhouden. – Mij waarschijnlijk niet herkennen. – Moeilijkheden voorzien. – Het land herwinnen. – Het licht uitdoen. – Mooi weer voorspellen. – Een grote som voorschieten. – De aante-

keningen overschrijven. – Een briefje achterlaten. – Zijn argumentatie weerleggen. – Nog een eindje doorlopen. – Maar drie gulden overhouden. – De les herhalen. – Nadenken.

3. Bilden Sie den Plural. Nach dem Modell: De zieke herstelde snel. – De zieken herstelden snel.

De gevangene werd soms mishandeld. – De telefoniste verbrak de verbinding. – De radiator was aan. – Hij heeft ook een slechte gewoonte. – Hij gebruikte geen technisch hulpmiddel. – Zij vond een gedeelte terug. – De professor was ziek. – De ventilator draaide op volle toeren. – De receptioniste was er niet. – Ik kon haar gedachte haast raden.

4. Übersetzen Sie: ,,Es tut mir leid", wiederholte die Empfangsdame des Hotels, ,,wir haben Ihren Brief ziemlich spät bekommen. Ein Einzelzimmer mit Bad haben wir nicht mehr frei. Ich hoffe, daß Ihnen auch ein Zimmer ohne Bad gefallen wird. Es gibt natürlich kaltes und warmes Wasser in dem Zimmer." - Ich bin für heute abend von Bekannten eingeladen worden, und muß das schönste Kleid, das ich habe, anziehen. Aber eigentlich habe ich keine große Lust, ich bin einfach zu müde.

15 D

draaideur [ˈdraːïdøːr] Drehtür
receptie [reˑˈsɛpsiˑ] Empfang
tweepersoonskamer das Doppelzimmer
dat klopt das stimmt
voorgaan vorangehen
moe [muˑ] müde
wastafel das Waschbecken
het stopcontact die Steckdose
het scheerapparaat der Rasierapparat
bevallen gefallen
opgetogen entzückt
het uitzicht [ˈəʏtsɪxt] die Aussicht
wens Wunsch
ik had ich hätte
het hoofdkussen [ˈhoːftkəsə(n)] das Kopfkissen
het doosje [ˈdoːʃə] die (kleine) Schachtel
lucifer [ˈlyˑsiˑfɛr] das Streichholz

parkeren [parˈkeːrə(n)] parken
huren [ˈhyːrə(n)] mieten
zoals wie
het knopje das Knöpfchen
receptioniste [reˑsɛpsioˑˈnɪstə] Empfangsdame
aanvragen anmelden; beantragen
het kastje [ˈkaʃə] das Schränkchen
naast neben
telefoongids das Fernsprechbuch
trap Treppe
gang Korridor
afgaan op zugehen auf
geur [ɣ̊øːr] Geruch
vers frisch
allebei beide
inschrijven [ˈɪnsxrɛïv̊ə(n)] eintragen
moeite [ˈmuˑïtə] Mühe

80

16. Stunde

Aan een krantenkiosk

Als je voor een kiosk met tijdschriften en kranten staat, weet je meestal niet waar je moet beginnen te kijken. Tientallen soorten geïllustreerde bladen, kranten, vaktijdschriften, enzovoort, proberen de besluiteloze koper door sensationele foto's en slagzinnen op de voorpagina voor zich te winnen.

Terwijl ik sta te kijken, vraagt de juffrouw mij: „Zoekt U iets bepaalds, mevrouw?"

„Ik kijk wat rond. Ik zie dat U een ruime keus hebt. U verkoopt ook opvallend veel buitenlandse kranten."

„Er zijn veel buitenlanders die graag iets in hun eigen taal willen lezen. Toen ik een paar jaar geleden merkte dat er vraag was naar Engelse, Franse en Duitse lektuur heb ik die in mijn assortiment opgenomen. Het gaat grif van de hand, vooral in het toeristisch seizoen. Dan heb ik nog mijn vaste klanten die nog vlug hun krantje komen kopen voor ze naar hun werk gaan."

„Heeft U een plattegrond van de stad na de bouw van de tunnel? Ja? Dat is fijn! O, als ik me niet vergis, zie ik daar het nieuwste nummer van ,Aktueel'. Het ligt op de vierde plank, links van U. Ja, dat had ik graag. Wat ben ik U verschuldigd?"

„Vierenzeventig frank, mevrouw."

„Hier heeft U gepast geld."

„Vriendelijk bedankt, mevrouw."

Achteraf schoot mij te binnen dat ik, waarschijnlijk door het verhaal van die juffrouw, vergeten had ansichtkaarten en postzegels te kopen. Dat moest dan maar een volgende keer.

Erläuterungen

1. Temporalsätze: die Konjunktionen toen, terwijl, als, wanneer
Achte auf die Bedeutung der Konjunktionen:
toen = als
> **Toen** ik in Nederland was, ben ik nooit ziek geweest! *Als ich in den Niederlanden war, bin ich nie krank gewesen!*

Übung 1

terwijl = während
Terwijl wij praatten, was hij in slaap gevallen. *Während wir redeten, war er eingeschlafen.*

Übung 2

als, wanneer = wenn. **Wanneer** ist schriftsprachlich.
De boeren zijn blij **als** (oder: **wanneer**) het regent. *Die Bauern sind froh, wenn es regnet.*

Übung 3

2. Die Ordnungszahlen

1e	eerste	15e	vijftiende
2e	tweede	16e	zestiende
3e	derde	17e	zeventiende
4e	vierde	18e	achttiende
5e	vijfde	19e	negentiende
6e	zesde	20e	twintigste
7e	zevende	21e	eenentwintigste
8e	achtste	30e	dertigste
9e	negende	100e	honderdste
10e	tiende	101e	honderd eerste
11e	elfde	200e	tweehonderdste
12e	twaalfde	1000e	duizendste
13e	dertiende	1.000.000e	miljoenste
14e	veertiende		

Bemerkungen:

1. Mit **-de** werden die Ordnungszahlen **2e** bis **19e** von den betreffenden Grundzahlwörtern abgeleitet.

Ausnahme: achtste. Merke außerdem: **derde!**
Alle anderen Ordnungszahlen werden mit **-ste** gebildet.

2. Bei der Angabe des **Datums** kann man, anders als im Deutschen, auch die Grundzahl gebrauchen.
    Vrijdag, **twintig** (oder: **de twintigste**) juni. *Freitag, der zwanzigste Juni.*

3. Bei den betreffenden **Adverbien** wird **ten** vorgesetzt: **ten eerste** *erstens*, **ten tweede** *zweitens* usw.

Übung 4

3. liggen, staan, zitten te + Infinitiv

Ik zit te wachten. *Ich (sitze und) warte.* (Etwa dialektisch: *Ich bin am Warten.*)

Diese typisch niederländische Struktur ist häufig: sie gibt die Dauer einer Handlung an; die Information über die Haltung („liegen, stehen, sitzen") ist dabei ganz nebensächlich (und sollte meistens nicht übersetzt werden).

Merke: In den **zusammengesetzten Zeiten** entfällt das **te**:

Hij heeft **liggen slapen.** *Er hat (gelegen und) geschlafen.*

4. Substantiv: Plural -'s

Wörter auf **vollem Vokal (a, i, o** und **u)** bekommen im Plural **-'s.**
   foto *Foto* – foto's;   paraplu *Regenschirm* – paraplu's

Anm.: Der Apostroph gibt an, daß die Silbe als offen zu behandeln ist (und daß der Vokal entsprechend lang bzw. geschlossen auszusprechen ist). Bei fremden Vokalzeichen(verbindungen) entfällt er sinngemäß: het café *Kneipe* – de cafés, het bureau *Büro* – de bureaus.

Übung 5

Übungen   **16 C**

1. Bilden Sie Temporalsätze mit toen. Nach dem Modell: Ik stond op. De zon scheen. – Toen ik opstond, scheen de zon.
Ze kwamen binnen. Iedereen zweeg. – De telefoon ging. Ik schrok. – Ik merkte het. Het was al te laat.

2. Bilden Sie Temporalsätze mit terwijl. Nach dem Modell: Zij praatte. Ze snoot haar neus. – Terwijl ze praatte, snoot ze haar neus.
Ze keek naar de TV. Hij werkte door. – Ik wandelde op het strand. Het begon plotseling te regenen. – Hij zat rustig in een tijdschrift te lezen. De baby heeft liggen huilen.

3. Bilden Sie Temporalsätze mit als (oder wanneer). Nach dem Modell: Het sneeuwt. De wegen zijn glad. – Als het sneeuwt, zijn de wegen glad.
Mijn vrouw staat 's morgens op. Ze heeft bijna altijd hoofdpijn. – Ik zie haar. Ik moet aan vroeger denken. – Mijn oom komt op bezoek. Het is feest.

4. Schreiben Sie Ordnungszahlen in Ziffern und lesen Sie diese!

5. Bilden Sie den Plural. Nach dem Modell: Die camera is te duur. – Die camera's zijn te duur.
De taxi reed te vlug. – Het TV-programma beviel me niet. – Het menu was goed verzorgd. – Die auto staat verkeerd geparkeerd.

6. Übersetzen Sie: Das jüngste Kind unserer Freunde muß aus dem Bett gefallen sein, während die Eltern (lagen und) schliefen. Als sie den Krach hörten, hatten sie sich natürlich erschrocken. Der kleine Junge hat fürchterlich geweint. Und ich kenne auch den Grund, warum das so regelmäßig passiert: das Bett ist etwas zu hoch. Wenn man an diese Unfälle denkt, muß doch deutlich sein, daß so ein altes Familienstück nicht immer praktisch ist!

16 D

krantenkiosk Zeitungskiosk
het tiental; tientallen etwa zehn; -zig
enzovoort(s) (enz.) und so weiter (usw.)
besluiteloos [bə'slɔytəlo:s] unschlüssig
slagzin ['slɑxsɪn] Schlagzeile
voorpagina Titelseite
winnen gewinnen
bepaald bestimmt
ruim [rɔym] groß, reichlich
keus [kø:s], **keuze** Auswahl
taal Sprache
Frans französisch
het assortiment [ɑsɔrti·'mɛnt] das Sortiment, die Auswahl

grif van de hand gaan reißenden Absatz finden
het seizoen [sɛi'zu·n] die Saison
vaste klant Stammkunde
zich vergissen sich irren
plank das Brett; das Regal
verschuldigd zijn [v̆ər'sxɐldəxt sɛin] schuldig sein
gepast abgezählt
achteraf [ɑxtə'rɑf] hinterher
te binnen schieten einfallen
het verhaal die Erzählung
postzegel ['pɔs(ts)e:ɣ̆əl] Briefmarke
keer Mal

17. Stunde

Een verhuizing

17 A

„Weten jullie al dat onze overburen gaan verhuizen?", vraagt Arnout. „Nee, daar weet ik niets van", zegt zijn moeder verwonderd. „Dat vind ik echt jammer. Het waren zulke prettige en aardige mensen. Wij konden zo goed met elkaar opschieten. Wanneer gaan ze verhuizen?"

„Volgende week maandag komt de verhuiswagen."

„Jij zult Dirk wel missen, die was net van jouw leeftijd!"

„Dirk vindt het naar dat hij naar een andere school moet. Zij hebben nu een huis met een grote tuin ergens aan de rand van een dorp gekocht. Dirks vader is heel wat van plan. Hij zegt dat

hij al zijn vrije tijd aan het tuinieren gaat besteden en dat hij zelfs een serre wil gaan bouwen om orchideeën te kweken. Ik zal eens gaan kijken of ik een handje kan helpen."
Toen Arnout binnenkwam, zag hij overal kartonnen dozen, kisten en koffers staan. Ze waren net alle kasten aan 't leegmaken. Dirk was samen met zijn zus volop bezig het porselein en het glaswerk in te pakken om het voorzichtig in de dozen te leggen. De schilderijen waren al van de muur. Het zag er erg kaal, lelijk en ook wel vuil uit, maar dat was in deze omstandigheden niet te vermijden.
Nadat hij iedereen begroet had, vroeg Arnout of hij de gordijnen al kon afhalen.
Dirks moeder vond het prima en zei dat de ladder in de hoek van de eetkamer stond. Zij hoopte klaar te zijn als de verhuiswagen kwam, maar ze zei dat ze er een zwaar hoofd in had.
Maar Arnout was optimistisch en ging onmiddellijk aan de slag.

Erläuterungen   17 B

1. Die Konjunktion __dat__ und die indirekte Rede

dat = das
Ik geloof **dat** zij ziek is. *Ich glaube, daß sie krank ist. Ich glaube, sie ist krank.*

Merke: Im Niederländischen **muß** in der indirekten Rede immer **dat** gebraucht werden.
Ze zeiden **dat** ze niet kunnen komen. *Sie sagten, daß sie nicht kommen könnten. Sie sagten, sie könnten nicht kommen.*
Die **indirekte Rede** wird im Niederländischen im **Indikativ** (und nicht im Konjunktiv) wiedergegeben.

2. Temporalsätze (2): die Konjunktionen sinds, sedert, nadat, voor(dat), eer, tot

sinds, sedert = seit. **Sedert** ist mehr schriftsprachlich.
Zij heeft al twee keer opgebeld **sinds** ik thuis ben. *Sie hat schon zweimal angerufen, seit ich zu Hause bin.*

Übung 1

nadat = nachdem
Nadat zij weggegaan waren, ben ik gaan slapen. *Nachdem sie weggegangen waren, bin ich schlafen gegangen.*

Übung 2

voor(dat), eer = bevor, ehe. **Voor** ist die frequenteste Konjunktion.
Bel je me op **voor** je weggaat? *Rufst du mich an, bevor du weggehst?*

Übung 3

tot = bis
Wij wachten **tot** hij terugkomt. *Wir warten, bis er zurückkommt.*

3. Struktur: Ik ben aan 't werken

Diese auch in deutschen Mundarten bekannte Struktur findet sich oft
im Niederländischen, besonders in der gesprochenen Sprache. Sie
kann sogar mit Objekt stehen!
Ik ben aan 't werken. *Ich bin am Arbeiten. Ich arbeite.* – Hij was
een brief aan 't schrijven. *Er war dabei, einen Brief zu schreiben.*

Übung 4

4. Substantiv: Plural -ën

Wörter auf **-ee** bekommen im Plural die Endung **-ën** (das Trema soll,
ähnlich wie bei Wörtern auf **-ie** (vgl. 12 B), die Silbentrennung kenn-
zeichnen):
orchidee *Orchidee* – orchideeën [ɔrxiˈdeː(j)ə(n)]

Übungen 17 C

1. Bilden Sie Temporalsätze mit sinds (oder sedert). Nach dem Modell:
Hij is erg veranderd. Ik heb hem voor het laatst gezien. – Hij is erg
veranderd sinds ik hem voor het laatst gezien heb (... heb gezien).
Zij maken altijd ruzie. Zij zijn met elkaar getrouwd. – De gepen-
sioneerden hebben het niet gemakkelijk. De prijzen zijn zo sterk
gestegen. – Wij zien ze nog maar zelden. Hun baby is geboren.

2. Bilden Sie Temporalsätze mit nadat. Nach dem Modell: Hij had
iedereen begroet. Hij ging zitten. – Nadat hij iedereen begroet had
(... had begroet), ging hij zitten.
De trein was vertrokken. Het station was helemaal leeg. – De bezoe-
ker had de kamer verlaten. Ik deed de deur dicht. – We hadden nog
wat zitten praten. We gingen ergens iets drinken.

3. Bilden Sie Temporalsätze mit voor(dat) (oder eer). Nach dem
Modell: Ik moet je nog iets vragen. Ik vergeet het. – Ik moet je nog
iets vragen, voor ik het vergeet.

Je moet de munt in de automaat steken. Je draait het nummer. – Het ongeluk was gebeurd. Ik wist het. – Je moet je wassen. Je gaat slapen.

4. Bilden Sie Sätze. Nach dem Modell: Het regende. – Het was aan 't regenen.

Ik wacht al een uur op jou!. – De bloemen verwelken. – Zij hangen de gordijnen op. – Ik scheer me nog. – Jij wordt dik! – Ze verhuizen net de kasten. – Hij zocht zijn trui.

5. Übersetzen Sie: Meine Schwester erzählte mir, sie fühle sich ziemlich müde. Das ginge eigentlich schon so, seit sie vor etwa zehn Tagen aus dem Urlaub zurückgekommen sei. Ich fragte sie, ob sie krank sei und ob sie schon bei ihrem praktischen Arzt gewesen sei. Sie antwortete mir, daß sie kein Fieber habe, nur Kopfschmerzen, und daß sie sich nach dem Wochenende doch von ihrem Arzt untersuchen lassen wolle. Ich gab ihr recht und sagte, ich wäre auch nicht eher beruhigt, bevor ich nicht wüßte, was mir fehlte.

17 D

verhuizing [v̆ər'həyzɪŋ] Umzug
overbuur ['o:v̆ərby:r] Nachbar drüben
jammer schade
kunnen opschieten met auskommen mit
maandag ['ma:ndɑx] Montag
verhuiswagen Möbelwagen
leeftijd ['le:ftɛɪt] Alter
naar unangenehm, schlimm
tuin [təyn] Garten
ergens ['ɛrɣ̆ə(n)s] irgendwo
van plan zijn [zɛɪn] vorhaben, beabsichtigen
al ganz
tuinieren [təy'ni:rə(n)] im Garten arbeiten
besteden [bə'ste:də(n)] verwenden
serre ['sɛ:rə] Treibhaus
kweken züchten
een handje helpen mit Hand anlegen, helfen

kartonnen doos Karton
zus [zəs] Schwester
volop vollauf
bezig ['be:zəx] dabei; beschäftigt
het porselein [pɔrsə'lɛɪn] das Porzellan
het glaswerk das Glasgeschirr
voorzichtig [vo:r'zɪxtəx] vorsichtig
schilderij [sxɪldə'rɛɪ] Gemälde
lelijk ['le:lək] häßlich
vuil [v̆əyl] schmutzig
omstandigheid [ɔm'stɑndəxɛɪt] Umstand
nadat nachdem
gordijn [ɣ̆ɔr'dɛɪn] Vorhang, Gardine
ladder Leiter
een zwaar hoofd hebben in kaum glauben können an, sich kaum vorstellen können
onmiddellijk [ɔn'mɪdələk] sofort
aan de slag gaan loslegen, anfangen

18. Stunde

In een warenhuis 18 A

„Vandaag ga ik met Marijke boodschappen doen.", zegt Hein.
„Met een vrouw gaan winkelen vergt vaak heel wat van je geduld en uithoudingsvermogen.", waarschuwt zijn vader. „Je kunt in die tussentijd beter op een terrasje gaan zitten."
„Dat gaat voor mij niet op, hoor Jan.", zegt zijn vrouw. „Je kunt in dat opzicht over mij niet klagen."
„Dat moet je ook meemaken, vind ik. Dat hoort er nu eenmaal bij.", zegt Hein.
„Wat moeten jullie allemaal kopen?", vraagt zijn broer.
„Van alles en nog wat. Ze heeft het op een lijstje geschreven: donkerbruine veters, een lange ritssluiting, een herenparaplu, een bouwdoos voor een neefje van haar, enkele plastic borden en bekers. Moet ik voor iemand iets meebrengen?"
„Ja, een viltstift.", zegt Arnout. „Welke kleur?" „Een rode, eentje die lekker vet schrijft." „Komt voor mekaar. Dag mensen, tot·straks."
„Zeg Marijke, ik stel voor naar een warenhuis te gaan, omdat wij dan alles onder één dak kunnen vinden."
„Mij best hoor. Eens eventjes kijken: de fourniturenafdeling, daar beginnen we mee, want die ligt gelijkvloers. Daarna gaan we naar de speelgoedafdeling, en tenslotte naar de hoogste verdieping voor de huishoudafdeling."
Na de inkopen lopen Marijke en Hein terug naar de auto die op een parking staat.
„Ben je moe, Hein?" „Het valt best mee; ik had het winkelen met jou erger verwacht.", grinnikt Hein.
„Omdat je zo geduldig bent geweest, trakteer ik op slagroomgebakjes met koffie. Wat vind je van dat idee?"
„Schat, je zit altijd boordevol schitterende ideeën!"

Erläuterungen 18 B

1. Kausalsätze: die Konjunktionen want und omdat
Auch hier entspricht die Wortfolge der deutschen.
want = denn

Zij kan niet komen, **want** ze is ziek. *Sie kann nicht kommen, denn sie ist krank.*

omdat = weil

Zij kan niet komen **omdat** zij ziek is. *Sie kann nicht kommen, weil sie krank ist.*

Übung 1

2. Die Indefinitpronomen

Die wichtigsten **substantivisch** gebrauchten Indefinitpronomen sind:

iedereen ['iˑdəreːn]	jedermann	**iets, wat**	etwas
iemand ['iˑmɑnt]	jemand	**niets, niks**	nichts
niemand	niemand	**alles**	alles
		men (ze, je)	man

Besonderheiten:

1. **niks** ist die getreue Wiedergabe der typischen Aussprache [nɪks].

2. **men** ist selten. Statt dessen benutzt man gern ein Personalpronomen: wenn man die Meinung anderer referiert: **ze** *sie* (Plural).

    Ze zeggen dat hij gevlucht is. *Man sagt, daß er geflohen sei.*

Wenn es um Aussagen von allgemeingültiger Bedeutung geht: **je** *du*.

    Je kunt daar goed eten. *Man kann da gut essen.*

3. Bei einigen dieser Pronomen kommen in der Schriftsprache manchmal Genitivformen vor: **iemands** *jemands* usw.

Substantivisch und adjektivisch gebraucht werden:

elk(e), ieder(e)	jede(r, -s)
enkele ['ɛŋkələ], **enige** ['eːnəɣ̊ə]	einige
sommige ['sɔməɣ̊ə], (**menig** ['meːnəx] selten!)	manche
verschillende, verscheidene	verschiedene, mehrere
veel, vele	viel(e)
alle, al de, al het ⎫ (substantivisch auch: **allemaal**) ⎭	all(e)
weinig(e) ['ʋɛïnəx]	wenig(e)
een of ander(e)	irgendein(e)

Besonderheiten:

1. **Veel** und **weinig** bleiben beim adjektivischen Gebrauch meistens unflektiert. Nur wenn ein Bestimmungswort vorangeht, müssen sie wie die anderen Adjektive flektiert werden.

    Er waren **veel** mensen. *Es waren viele Leute da.* – Aber: De **vele** mensen die ... . *Die vielen Leute, die ... .*

89

2. Wenn es sich beim **substantivischen** Gebrauch um Personen handelt, ist die Endung im Plural **-en**.
Allen hadden het gezien. *Alle hatten es gesehen.*

3. **Menig** ist selten und kommt außerdem nur im Singular vor.

Nur adjektivisch gebraucht wird **een zeker**(e)   ein(e) gewisse(r, -s)

Übungen   18 C

1. Bilden Sie Kausalsätze mit want bzw. omdat. Nach dem Modell:
Zij ging niet mee. Ze had geen zin. – Zij ging niet mee want zij had geen zin. – Ze ging niet mee omdat zij geen zin had.
Ik ga nu naar bed. Ik moet morgen vroeg opstaan. – We kijken niet vaak naar de TV. Wij hebben geen tijd. – Meneer De Leeuw blijft liever thuis. Zijn vriend komt vanavond een partijtje schaak spelen. – Zij gaan dit jaar niet met vakantie. Ze zijn een huis aan 't bouwen. – Wij gaan niet graag bij hen op bezoek. Ze maken altijd ruzie.

2. Übersetzen Sie: Jemand erzählte mir, er führe schon seit mehreren Jahren jedes Jahr mit seiner ganzen Familie nach dem Ende der Saison ans Meer in Urlaub. Es gefiele ihnen dann viel besser, weil es nur noch wenig Touristen gäbe und alles viel ruhiger sei. Man könne überall einkaufen, ohne anstehen zu müssen, denn fast alle Geschäfte blieben geöffnet. Ich fragte, ob sie dann in einem Hotel (als Gäste) wohnten. Er antwortete, daß sie immer eine Etagenwohnung mieteten. Das sei nicht teuer und außerdem helfe jedermann, auch die kleinen Kinder also, beim Kochen oder Spülen. Es sei nur schade, daß es jetzt das letzte Mal sei: nächstes Jahr ginge das älteste seiner Kinder in die Schule. Manche Eltern gingen auch ohne ihre Kinder in Urlaub, aber er sei dagegen. Der Leser dieses Buches weiß aber sicher noch, daß die Freundin von Frau De Leeuw, mit der sie vor einigen Wochen Schuhe kaufen ging, anders darüber dachte!

18 D

winkelen ['ʋɪŋkələ(n)] Einkäufe machen
vergen verlangen
vaak oft
het uithoudingsvermogen ['əɣthaudɪŋs-fərmoːɣ̊ə(n)] das Durchhaltevermögen
tussentijd ['tɔsə(n)tɛɪt] Zwischenzeit
het terrasje [tɛˈraʃə] die (kleine) Terrasse
opgaan zutreffen
het opzicht die Hinsicht
erbij horen dazugehören

van alles en nog wat allerhand
donkerbruin dunkelbraun
veter ['v̊eːtər] Schnürsenkel
ritssluiting Reißverschluß
herenparaplu ['heːrə(n)paraplyˑ] Herrenregenschirm
bouwdoos Baukasten
het neefje der kleine Neffe
enkele ['ɛŋkələ] einige
het bord der Teller
viltstift Filzstift
kleur [kløːr] Farbe
eentje eine(r), eins

(het) komt voor mekaar (es) wird erledigt
eventjes ['eːv̊ətɪəs] mal
fourniturenafdeling [fuˑrniˑ'tyːrə(n)- ɑvdeːlɪŋ] Kurzwarenabteilung
want denn
gelijkvloers ([ɣ̊əlɛɪk'fluːrs] im Erdgeschoß
het speelgoed ['speːlɣ̊uˑt] das Spielzeug

verdieping Stockwerk
huishoudafdeling Haushaltsabteilung
parking Parkplatz
meevallen besser ausfallen als erwartet
het slagroomgebakje das kleine Gebäck mit Schlagsahne
boordevol ['boːrdəv̊ɔl] randvoll
schitterend ['sxɪtərənt] glänzend

19. Stunde

Een uitstapje

Als het koninginnedag is, heeft heel Nederland vrij. Op deze nationale feestdag staat de jarige koningin op het bordes van het paleis Soestdijk en neemt de felicitaties van het volk in ontvangst.

Veel mensen maken op deze vrije dag een uitstapje. Zo ook ons gezin De Leeuw, dat er eens voor een dagje helemaal uit wil zijn. Ze besluiten de grens over te trekken en een kijkje te nemen bij hun zuiderburen. De zus van meneer De Leeuw is namelijk met een Belg getrouwd.

Aan de Nederlands-Belgische grens staat wel een douanebeambte, maar je wordt niet zoals in andere landen gecontroleerd. Het bevalt hun best in België. Niet iedereen heeft een talenknobbel en ze vinden het erg prettig dat de Vlamingen ook Nederlands spreken. Als je dezelfde taal spreekt, voel je je toch niet als een kat in een vreemd pakhuis.

En toch merk je dadelijk dat je in het buitenland bent. De eentonige huizenrijen met doorzonkamers en met het keurig verzorgde bloemen- of grasperkje aan de voorkant hebben plaats gemaakt voor een onoverzichtelijker straatbeeld. De huizen rijgen zich in een wanordelijke willekeur tot kilometers lange straatdorpen aan elkaar.

Er bestaan over het algemeen veel minder officiële voorschriften en regels in België. Een typisch voorbeeld daarvan is de sluitingstijd van de winkels, die er vrijwel onbekend is. Zo kun je op zondagmorgen normaal boodschappen doen, vers brood halen bij de bakker en beleg bij de slager.

In een café onderweg bestellen ze koffie – geen kopje koffie, maar een filter natuurlijk – en wafels met slagroom.

Daarna rijden ze naar hun familie, die nog niet zo lang geleden in een rustige woonwijk een huis heeft gebouwd. De Belgen zeggen weleens schertsend van zichzelf dat ze met een baksteen in hun buik geboren worden.

De dag is vlug om en na een hartelijk afscheid stappen ze weer op.

Erläuterungen 19 B

1. Der Gebrauch von hebben und zijn in den zusammengesetzten Zeiten

Der Gebrauch von **hebben** oder **zijn** + 2. Partizip in den zusammengesetzten Zeiten entspricht im allgemeinen dem Deutschen:

Hij **heeft** goed **gewerkt**. *Er hat gut gearbeitet.* – Hij **is** niet **gekomen**. *Er ist nicht gekommen.*

Besonderheiten:

1. Verben, die ein **Anfangen**, ein **Ab-** oder **Zunehmen** oder ein **Aufhören** bezeichnen, werden mit **zijn** konjugiert.

De spanning **is** afgenomen. *Die Spannung hat abgenommen.*

2. Verben, die eine **Bewegung** ausdrücken, werden mit **hebben** konjugiert.

Nur, wenn eine **Richtungs-** oder **Zielangabe** vorhanden ist, wird wie im Deutschen **zijn** gebraucht. Vgl.

Jij **hebt** veel te vlug gereden! *Du bist viel zu schnell gefahren!* – Ik **ben** naar Amsterdam gereden. *Ich bin nach Amsterdam gefahren.*

3. Außerdem gibt es einige Einzelfälle:

a) die Verben **bevallen** *gefallen*, **promoveren** *promovieren* und **trouwen** *heiraten* werden mit **zijn** konjugiert.

Die film **is** me niet bevallen. *Der Film hat mir nicht gefallen.*

b) die Verben **blozen** *erröten* und **ontmoeten** *begegnen* werden mit **hebben** konjugiert.

Ik **heb** hem niet meer ontmoet. *Ich bin ihm nicht mehr begegnet.*

Übung 1

2. Konditionalsätze: die Konjunktionen als und indien

Hier wird eine Bedingung ausgedrückt.

als, indien = wenn (**indien** ist schriftsprachlich).

Als (oder: **indien**) je het te koud hebt, zal ik het venster sluiten. *Wenn du zu sehr frierst, werde ich das Fenster schließen.*

Übungen 19 C

1. Bilden Sie das Perfekt. Nach dem Modell: Vroeger ontmoetten wij elkaar altijd in dat cafeetje. – Vroeger hebben wij elkaar altijd in dat cafeetje ontmoet.

Gisteren verschenen de kranten niet. – Ze vertrokken zonder nog één woord te zeggen. – Je deed een goede keuze! – Ondanks het slechte weer viel onze vakantiereis best mee. – Hij zwom de honderd meter in een recordtijd. – Ik belde de brandweer op. – Zij reden naar België. – Waarom werd je zo ongeduldig? – De internationale spanning nam plotseling toe. – Zij vergaten hun sleutels. – Wij vlogen nog nooit. – Hij respecteerde het contract. – Hun interesse verminderde in de loop der jaren. – De nieuwste roman van die schrijver beviel ons maar matig. – Zij bloosde bij elk woord. – Wij gingen op bezoek bij buitenlandse vrienden. – Jullie trouwden veel te jong! – Het kind liep huilend naar huis. – Onze renners fietsten vandaag heel goed. – Dat gebeurde hier vroeger nooit. – U vergiste zich! – Hij ging door met de les. – Zij ging de winkel binnen. – Mijn man wandelde niet graag met de kinderwagen. – Hij begon met zijn werk. – Hij promoveerde op een moeilijk thema. – Ik liep door de stromende regen.

2. Bilden Sie Konditionalsätze mit als (oder indien). Nach dem Modell: Het sneeuwt. We blijven thuis. – Als het sneeuwt, blijven wij thuis. Ze is bang. Je mag haar niet alleen laten. – De auto is nog niet in orde. U moet onmiddellijk terugkomen. – Jij lacht mij uit. Ik hou mijn mond. – Zij kunnen niet komen. Ze zullen wel schrijven.

3. Übersetzen Sie: Als wir im Hauptbahnhof von Rotterdam ankamen, war es schon sieben Uhr. Wir nahmen sofort ein Taxi zu dem Hotel, in dem wir schon lange vorher telefonisch ein Doppelzimmer reserviert hatten. Als die Empfangsdame uns mitteilte, daß wir nicht in dem Hotel essen konnten, waren wir natürlich ein bißchen überrascht. Aber nicht weit von dem Hotel entfernt gab es zum Glück verschiedene Restaurants. Wenn wir in den Niederlanden sind, ißt meine Frau immer gerne indisch. Aber es war für uns nicht so leicht, ein solches Restaurant zu finden. Da wir großen Hunger hatten und es schon spät geworden war, sind wir nur etwa fünf Minuten gelaufen und in ein Restaurant hineingegangen, wo wir doch gut gegessen haben: meine Frau ein halbes Hähnchen mit Pommes frites und ich ein Schweinskotelett mit Salzkartoffeln.

19 D

het **uitstapje** [ˈəytstɑpīə] der Ausflug
koninginnedag [koˑnəˈɲɪnədax] Geburtstag der Königin
feestdag Feiertag
jarig [ˈjaːrəx] Geburtstag habend

het **bordes** [bɔrˈdɛs] die Vortreppe
het **paleis** [pɑˈlɛis] der Palast
felicitatie [feˑliˑsiˑˈtaː(t)siˑ] Glückwunsch
ontvangst Empfang

het gezin [ɣ̊əˈzɪn] die Familie (*Eltern +
Kinder*)
besluiten [bəˈsləʏtə(n)] beschließen,
sich entschließen
overtrekken überschreiten
een kijkje [ˈkɛi̯ki̯ə] nemen sich umsehen
zuiderburen [ˈzəʏdərbyːrə(n)] pl. Nachbarn pl. im Süden
douanebeambte [duˈu̯aːnəbəɑmtə]
Zollbeamte(r)
talenknobbel Sprachbegabung
kat Katze
het pakhuis das Lager
zich als een kat in een vreemd pakhuis
voelen [ˈfuːlə(n)] sich ganz fremd
fühlen
eentonig [eːnˈtoːnəx] eintönig
doorzonkamer (von vorne bis hinten)
durchgehendes Wohnzimmer
keurig [ˈkøːrəx] hübsch

het bloemenperkje das Blumenbeet
het grasperkje der kleine Rasen
voorkant Vorderseite
het straatbeeld das Straßenbild
zich aan elkaar rijgen [ˈrɛi̯ɣ̊ə(n)] sich
aneinanderreihen
wanordelijk [ʋɑnˈɔrdələk] unordent-
lich, chaotisch
willekeur [ˈʋɪləkøːr] willkür
het straatdorp das Reihendorf
het voorbeeld das Beispiel
sluitingstijd [ˈsləʏtɪŋstɛi̯t] Ladenschluß-
zeit
vrijwel [v̊rɛi̯ˈʋɛl] nahezu
het beleg [bəˈlɛx] der Aufschnitt
slager Metzger, Fleischer
het kopje (koffie) die Tasse (Kaffee)
woonwijk Wohnviertel
het afscheid [ˈɑfsxɛi̯t] der Abschied
opstappen aufbrechen

20. Stunde

Rijles 20 A

Marijke is op weg naar de rijschool. Hoewel ze eerst voor haar
rijexamen moet slagen voordat ze een auto kan kopen, heeft ze
reeds veel brochures en prospectussen over verschillende
autotypes ingekeken.

In de eerste les heeft ze leren schakelen. Een heel uur lang heeft
zij toen geoefend tot ze de versnellingen van één tot vier onder
de knie had. Nu hoeft ze er niet eens meer bij na te denken.
Als ze samen met de rijinstructeur in de auto zit, zegt hij:
,,Wij hebben bijna geen benzine meer. Weet U hoe U naar de
benzinepomp moet rijden?"

,,Ja meneer, bij de bewaakte spoorwegovergang rechts de brede
rondweg oprijden."

,,Precies, en vergeet U niet dat binnen de bebouwde kom de
snelheidsbeperking geldt, al is het een voorrangsweg."

Bij het benzinestation zegt ze: ,,Voltanken, alstublieft. Neen,
geen super, gewone benzine. Zou U ook de voorruit en de
koplampen willen schoonmaken?"

,,Dat heeft U keurig gedaan. U maakt praktisch geen fouten
meer.", merkt hij op. Die woorden doen haar uiteraard plezier. Op een helling van een brug staat een lange file wagens.

„Oef, dat optrekken op een helling valt heus niet mee.", zegt zij zenuwachtig. „Je moet oppassen dat de auto niet achteruit rolt." „Dat zijn van die moeilijkheden die erbij horen.", zegt de instructeur. „Waarbij?", vraagt ze. „Bij de examentests.", antwoordt hij. „Al bent U de kluts kwijt, U mag het toch niet laten merken."

„Dat zal ik in mijn oren knopen!", zegt Marijke. Maar bang voor het examen is zij beslist niet. Integendeel! Nu de leraar zo tevreden over haar is, verheugt ze zich bijna op dat moment, dat toch veel voor haar betekent.

Erläuterungen   **20 B**

1. Das quantitative er

Der Gebrauch des quantitativen **er** ist typisch niederländisch (und teilweise mit dem französischen *en* vergleichbar).
1. Wenn in einem Kontext auf die (bestimmte oder unbestimmte) Menge eines vorher genannten Substantivs referiert wird, muß man **er** gebrauchen.

> Hoeveel sigaretten heb je nog? Ik heb **er** nog tien. *Wieviele Zigaretten hast du noch? Ich habe noch zehn.* – De melk is op. Wil je **er** nog? *Die Milch ist alle. Willst du noch welche?*

Übung 1

2. Wenn **wie?** *wer?* **Subjekt eines Satzes ohne Objekt** ist oder wenn **hebben** + **Substantiv** vorkommt, wird meistens **er** verwendet.

> Wie gaat **er** mee? *Wer geht mit?* – Wie heeft **er** honger? *Wer hat Hunger?*

Übung 2

2. Die Konzessivsätze: die Konjunktionen (al)hoewel, (ook) al, ofschoon

(al)hoewel, ofschoon = obwohl, wenngleich
> **(Al)Hoewel** (oder: **Ofschoon**) ze nog niet klaar is met haar werk, wil ze je graag helpen. *Obwohl sie mit ihrer Arbeit noch nicht fertig ist, will sie dir gerne helfen.*

(ook) al = obwohl, wenngleich
> **(Ook) Al** is zij nog niet klaar met haar werk, zij wil je toch graag helpen. *Obwohl sie mit ihrer Arbeit noch nicht fertig ist, will sie dir gerne helfen.*

Merke zur Wortfolge: Nach einem Konzessivsatz mit **(ook) al** gibt es keine Inversion im Hauptsatz!

Übung 3

3. Einschränkende Sätze: die Konjunktionen tenzij und voor zover
tenzij = es sei denn

Ik kom zeker, **tenzij** ik de auto niet krijg. *Ich komme sicher, es sei denn, ich kriege das Auto nicht.*

Übung 4

voor zover = (in)sofern
Voor zover wij hem kennen, zal hij niets willen zeggen. *(In)Sofern wir ihn kennen, wird er nichts sagen wollen.*

Übung 5

Übungen   20 C

1. Bilden Sie Sätze mit dem quantitativen er. Nach dem Modell: Wij zochten een Chinees restaurant. // We hebben geen Chinees restaurant gevonden. – We hebben er geen gevonden.
Hij heeft drie kinderen. // Ik heb twee kinderen. – Zij hebben bijna alle flessen leeggedronken. // Er zijn nog maar twee flessen over. – Ik heb appelen gekocht. // Dat zijn mooie appelen! – Heeft U nog problemen? // Neen, ik heb geen problemen meer. – Ik heb veel postzegels. // Maar hij heeft meer postzegels dan ik! Geef je mij een paar postzegels? Dat zijn maar weinig postzegels!

2. Bilden Sie Fragesätze mit wie. Nach dem Modell: Heb je nog moed? – Wie heeft er nog moed?
Ben je al klaar met je werk? – Wil jij me even helpen? – Doe jij mee? – Kijk je naar de TV? – Heb je nog sigaretten?

3. Bilden Sie Konzessivsätze mit (al)hoewel (oder ofschoon) bzw. (ook) al. Nach dem Modell: We hebben lang over ons huiswerk gedaan. De leraar was nog niet tevreden. – (Al)Hoewel (oder: ofschoon) wij lang over ons huiswerk gedaan hebben (oder: hebben gedaan), was de leraar nog niet tevreden. – (Ook) al hebben we lang over ons huiswerk gedaan, de leraar was nog niet tevreden.
Er was een flinke sneeuwstorm. Wij wilden toch met de auto gaan. – De agent had zich vergist. Wij moesten toch betalen. – De auto was niet helemaal in orde. Mijn vrienden waagden toch die grote reis.

4. Bilden Sie einschränkende Sätze mit tenzij. Nach dem Modell:
Je mag niet met de auto rijden. Je hebt een rijbewijs. – Je mag niet
met de auto rijden, tenzij je een rijbewijs hebt.
Ik wil hem niet ontvangen. Hij verontschuldigt zich. – Zij denken
rond vijf uur te zullen aankomen. Ze hebben pech onderweg. – Hij
wil niets zeggen. Wij beloven hem te zullen geloven.

5. Bilden Sie einschränkende Sätze mit voor zover. Nach dem Modell:
Wij hebben gehoord. Ze heeft gelijk. – Voor zover we gehoord hebben (oder: hebben gehoord), heeft zij gelijk.
Mijn collega is vrij. Hij werkt thuis. – Wij weten. Hij is nog steeds
verkouden. – Ik herinner mij. Jij houdt niet van kip.

6. Übersetzen Sie: Obwohl mein jüngerer Bruder schon lange einen
Führerschein hat, bin ich erst in diesem Jahr zur Fahrschule gegangen. Erst nach der fünfzehnten Fahrstunde war der Fahrlehrer im
allgemeinen zufrieden mit mir. Vor allem mit dem Parken hatte ich
manchmal noch Schwierigkeiten. Das kann aber auch am Autotyp
gelegen haben, dessen Karosserie vielleicht ein bißchen unübersicht-
lich war. Wir sind sowohl in der Stadt als auch auf den großen
Straßen außerhalb der Stadt gefahren. Ich versuchte jedesmal, meine
Geschwindigkeit genau den Umständen anzupassen. Auf die theoreti-
sche Prüfung hatte ich mich gut vorbereitet. Davor brauchte ich also
keine Angst zu haben.

20 D

rijles ['rɛĭlɛs] Fahrstunde
rijschool Fahrschule
hoewel [hu·'ʋɛl] obwohl
het rijexamen die Fahrprüfung
slagen bestehen, gelingen
reeds bereits, schon
inkijken ['ɪŋkɛĭkə(n)] hereinschauen
schakelen ['sxɑːkələ(n)] schalten
oefenen ['u·fənə(n)] üben
versnelling Gang
onder de knie hebben vollkommen be-
herrschen
rijinstructeur ['rɛĭ-ɪnstrəktø:r] Fahrlehrer
benzinepomp Tankstelle
bewaakte spoorwegovergang be-
schrankter Bahnübergang
breed breit
rondweg Ring-, Umgehungsstraße
precies [prə'si·s] genau
binnen innerhalb
bebouwde kom geschlossene Ort-
schaft
snelheidsbeperking Geschwindigkeits-
begrenzung
al obwohl
voorrangsweg Vorfahrtsstraße

het benzinestation die Tankstelle
voorruit ['v̊o:rəʏt] Windschutzscheibe
koplamp Scheinwerfer
schoonmaken reinigen, putzen
fout [fɑʊt] Fehler
uiteraard [əʏtə'ra:rt] selbstverständlich
het plezier [plə'zi:r] das Vergnügen,
die Freude
helling Hang
brug [brøx] Brücke
file Schlange
optrekken anfahren
heus [hø:s] wirklich
zenuwachtig ['ze:ny·ʊ̆ɑxtəx] nervös
achteruit [ɑxtə'rəʏt] rückwärts
de kluts kwijt zijn den Kopf verloren
haben
in zijn oren knopen sich hinter die
Ohren schreiben
beslist bestimmt
integendeel [ɪn'te:ɣ̊əndeːl] im Gegen-
teil
leraar Lehrer
tevreden [tə'v̊re:də(n)] zufrieden
zich verheugen [v̊ər'hø:ɣ̊ə(n)] sich
freuen
betekenen [bə'te:kənə(n)] bedeuten

21. Stunde

We leven in een koud kikkerlandje

Als je in een land als Nederland of België leeft, is het weer een belangrijk onderwerp van gesprek.

Het doet er niet toe of het mooi of slecht weer is, er is altijd wel een reden of een gelegenheid om erover bezig te zijn.

Bij mooi weer krijg je prompt te horen: ,,Wat een mooie dag, de zon schijnt, lekker weertje hé!''

De zonaanbidders liggen dan urenlang lui en apathisch in de zon in de hoop bruin te worden. Ze boffen als ze geen zonnebrand oplopen.

Natuurlijk zijn er geboren klagers die het zelf eenvoudig nooit naar hun zin hebben: ,,Het is snikheet, ik kan niet tegen die warmte; mijn bril glijdt gewoon van mijn neus omdat ik zo transpireer! En ik sterf bijna van de dorst!''

Helaas zijn de zonnige dagen op de vingers na te tellen. Het komt vaker voor dat je 's morgens bij het wakker worden over de radio na de nieuwsberichten volgende weersverwachting hoort: een gebied van lage luchtdruk trok deze nacht over het centrum van ons land en beïnvloedt nog steeds ons weer. Matige, aan de kust zelfs krachtige westenwind, veranderlijk weer met plaatselijk een bui, tegen de avond kans op onweer. Het is verstandig om dan in ieder geval een wollen trui aan te trekken en een jas niet te vergeten.

In een maatschappij als de onze, waarin de meesten een zittend beroep uitoefenen, is wandelen de goedkoopste en gezondste sport. Eén ding is echter absoluut zeker: of je nu in 't Gooi, de heuvelachtige Veluwe of een andere prachtige streek wandelt, er bestaat altijd het gevaar dat de lucht ineens betrekt en dat je op een behoorlijke afstand overal vandaan door een geweldige regenbui overvallen wordt. Maar zolang het nog niet hagelt of sneeuwt, is de toestand nog niet volledig uitzichtloos. Na plotseling verdwenen te zijn, verschijnt de zon een ogenblik later opnieuw.

Je moet dus bij ons min of meer rekening houden met de wisselvalligheid van het weer!

1. Finalsätze: Infinitivsätze oder die Konjunktion opdat

Finalsätze mit der Konjunktion **opdat** *damit* sind schriftsprachlich. Man muß dann den umschriebenen Konjunktiv **zou** + **Infinitiv** *würde* + *Infinitiv* benutzen.

Hij doet zijn best, **opdat** hij een bandrecorder **zou krijgen.** *Er tut sein Bestes, damit er ein Tonbandgerät bekommt.*

Meistens aber benutzt man wie im Deutschen **om te** + **Infinitiv** *um zu* + *Infinitiv*, wenn Subjekt von Final- und Hauptsatz identisch sind.

Hij doet zijn best **om** een bandrecorder **te krijgen.** *Er tut sein Bestes, um ein Tonbandgerät zu bekommen.*

Übung 1

2. Präposition + **Infinitiv: om te, na te** + **Infinitiv**

Hier hat das Niederländische mehr Möglichkeiten als das Deutsche: nahezu alle Präpositionen können mit einem Infinitiv verbunden werden. Vergleiche:

Zonder te kijken, liep hij de straat over. *Ohne zu gucken, überquerte er die Straße.*

Aber auch: **Na gegeten te hebben,** stapten wij op *Nachdem wir gegessen hatten, brachen wir auf.*

Merke: Anders als im Deutschen wird der zusammengesetzte Infinitiv nicht zusammengeschrieben:

Je zult het vinden door **na te denken!** *Du wirst es finden, dadurch, daß du nachdenkst!*

Übung 2

3. | Ik doe het **zelf.** *Ich mache es selbst.*
| **Zelfs** ik doe het. *Sogar (oder: selbst) ich mache es.*

zelf = (mich, ...) selbst = Pronomen

zelfs = sogar, selbst = Adverb

4. Struktur: m'n vader z'n auto

m'n vader z'n auto   = de auto van mijn vader *das Auto meines Vaters*

z'n zus haar verloofde = de verloofde van zijn zus *der Verlobte seiner Schwester*

Das Besitzverhältnis wird in der gesprochenen Sprache (nur selten in der geschriebenen Sprache) bei Lebewesen oft durch diese, auch in deutschen Mundarten bekannte Struktur ausgedrückt.

1. Bilden Sie Finalsätze mit opdat. Nach dem Modell: Zij heeft hem uitgenodigd. Hij krijgt de gelegenheid zich te verantwoorden. – Ze heeft hem uitgenodigd opdat hij de gelegenheid zou krijgen zich te verantwoorden.
Er werden borden geplaatst. De automobilisten passen op. – Wij hebben ze gewaarschuwd. Zij doen het niet meer. – Ik telefoneer. De dokter komt onmiddellijk.

2. Bilden Sie Infinitivsätze mit der betreffenden Präposition.
Nach dem Modell: Doen alsof. Daarmee kom je niet verder. – Met te doen alsof, kom je niet verder.
Het tweemaal geprobeerd hebben. Daarna gaf hij het op. – Niet opletten. Daardoor maakte hij fouten. – Willen discussiëren. Eerst moet je naar me luisteren.

3. Übersetzen Sie: Ich muß sagen, daß wir dieses Jahr weniger Glück mit dem Wetter gehabt haben als voriges Jahr. Und dabei hatten wir uns so auf die Ferien gefreut! Die erste Woche war es schön, aber danach war es eher unbeständig, und gegen Ende unserer Ferien ist das Wetter plötzlich sehr schlecht geworden: es begann mit einem gewaltigen Gewitter, aber auch danach blieb der Himmel tagelang bedeckt, wobei es fast immer regnete (= es fast immer am Regnen war). Von der Küste aus sind wir dann öfter in die umliegenden Städte gefahren, um uns dort zur Abwechslung ein bißchen umzusehen. Nachdem wir zuerst noch auf besseres Wetter gewartet hatten (*Infinitivsatz, bitte!*), haben wir uns schließlich entschlossen, schon ein paar Tage früher als geplant nach Hause zurückzufahren.

21 D

het kikkerlandje das (kleine) Land der Frösche; *daher:* das feuchte Land, die Niederlande
het onderwerp der Gegenstand, das Thema
het doet [du·t] **er niet toe** es macht nichts aus
zonaanbidder Sonnenanbeter
lui [ləʏ] faul
hoop Hoffnung
boffen Glück haben
oplopen davontragen
eenvoudig [eːnˈv̊ɑudəx] einfach
ik heb het naar mijn [mən] **zin** es ist mir recht, es gefällt mir
snikheet drückend
kunnen [ˈkɵnə(n)] **tegen** ertragen, vertragen
helaas [he·ˈlaːs] leider
op de vingers natellen an den Fingern abzählen
wakker wach
nieuwsberichten [ˈni·ŭzbərɪxtə(n)] *pl.* Nachrichten *pl.*
weersverwachting Wetterbericht
laag niedrig
luchtdruk [ˈlɵɣdrɵk] Luftdruck
het gebied van lage luchtdruk das Tief (-druckgebiet)
beïnvloeden [bəˈɪnv̊lu·də(n)] beeinflussen
krachtig [ˈkrɑxtəx] kräftig
plaatselijk [ˈplaːtsələk] örtlich
bui [bəʏ] (Regen-)Schauer
kans Chance, Möglichkeit
kans op ... Aussicht auf ..., voraussichtlich
het onweer das Gewitter

verstandig [v̊ər'standəx] vernünftig,
klug
het geval der Fall
in ieder geval auf jeden Fall
jas Mantel
maatschappij [maːtsxɑ'pɛi̯] Gesell-
schaft
het beroep [bə'ruˑp] der Beruf
goedkoop [ẙuˑt'koːp] billig
heuvelachtig ['høːv̊əlɑxtəx] hügelig
streek Gegend
ineens [ɪn'eːns] auf einmal
betrekken sich beziehen

behoorlijk [bə'hoːrlək] gehörig
het sneeuwt [sneːu̯t] es schneit
volledig [v̊ɔ'leːdəx] völlig
verdwijnen [v̊ər'dṳɛi̯nə(n)] verschwin-
den
verschijnen [v̊ər'sxɛi̯nə(n)] erscheinen
opnieuw [ɔp'niˑṳ] erneut, von neuem
min of meer mehr oder weniger
rekening houden ['haṳə(n)] met be-
rücksichtigen, rechnen mit
wisselvalligheid [ʋɪsəl'v̊ɑləxɛi̯t] Unbe-
ständigkeit, Wechselhaftigkeit

22. Stunde

Bij de kapper 22 A

„Het is hoog tijd dat ik naar de kapper ga.", zegt mevrouw De
Leeuw, terwijl ze over haar weerbarstige donkerbruine haar
strijkt. „Ik heb een goede kapper ontdekt in de buurt van je
kantoor. Je wordt er persoonlijk behandeld en het personeel is
vriendelijk en beleefd. Als ik ooit eens een wens zou mogen doen,
zou ik zacht haar wensen. Ik heb mijn haar verleden maand laten permanenten en je ziet er nu niets meer van."
„En toch zou ik jou niet anders willen hebben, schat!", zegt haar
man. „Ik ga zelf trouwens ook maar eens. Ik laat het aan de
achterkant bijknippen, de nek uitscheren en de scheiding wat
meer naar het midden verplaatsen."
In de kapperszaak vraagt het meisje: „Wat is er van Uw dienst,
mevrouw?"
„Wassen, knippen en föhnen, alstublieft. Zoals U ziet is mijn
haar werkelijk te lang."
„Welke shampoo gebruikt U?"
„Een gewone shampoo, graag. Ik zou een nieuwe coupe willen
hebben, ziet U, zoals in dit tijdschrift."
„O, U bedoelt dit nieuwe model. Volgens mij zal het inderdaad
heel goed bij de ronde vorm van Uw gezicht passen. Ik zal het
haar bovenop uitdunnen."
Ondertussen komt een dame naast haar net onder de droogkap
uit. „Oef, dat was toch wel iets te warm!" „Maar mevrouw! Dat

had U moeten zeggen. Ik veronderstelde dat U wist dat hier de knop van de warmteregelaar is. U had de temperatuur zelf kunnen regelen.", verontschuldigde het meisje zich.

„Zo mevrouw, nu bent U weer aan de beurt. U hoeft niet onder de kap. Ik borstel Uw haar tegelijk met de föhn droog. Dat was toch de bedoeling, nietwaar?"

„Ik ben bijzonder tevreden."

„Komt U mee naar de kassa? Dat is fl. 16,50. Alle prijzen zijn inclusief. Dank U wel. Goedemorgen. Tot de volgende keer."

„Tot ziens."

Erläuterungen   22 B

1. Der Gebrauch des Indikativs und des Konjunktivs

Konjunktivformen gibt es im Niederländischen kaum noch. Vgl. etwa: **Leve** de koning! *Es lebe der König!*
Wo sonst im Deutschen der Konjunktiv (oder seine Umschreibung mit *würde* + *Infinitiv*) steht, gebraucht man im Niederländischen den **Indikativ Imperfekt** oder die Umschreibung mit **zou** + **Infinitiv.**
Im einzelnen gelten folgende Regeln:

1. Wenn etwas als nicht wirklich geschehen vorgestellt wird (= Irrealis), gebraucht man den Indikativ:
Had je me maar geroepen! *Hättest du mich nur gerufen!* – Dat **hadden** jullie niet mogen doen! *Das hättet ihr nicht tun dürfen!*

2. Geht es um einen Konditionalsatz (vgl. 19 B), dann hat man die Wahl. Im Hauptsatz wird die Umschreibung bevorzugt.
Als ik rijk **zou zijn** (oder: **was**), **zou** ik een wereldreis **maken** (oder: **maakte** ik een ...). *Wenn ich reich wäre, würde ich eine Weltreise machen.*

3. Auch in anderen Hauptsätzen wird meistens die Umschreibung gebraucht, öfter als im Deutschen.
Je **zou** het hem eens **moeten zeggen.** *Du müßtest es ihm mal sagen.* – Zij **zou** mij toch niet **geloven.** *Sie würde mir doch nicht glauben.*

Merke: Zur Wiedergabe der indirekten Rede benutzt man im Niederländischen nie den Konjunktiv (oder seine Umschreibung)! Vgl. 17 B.

2. Der Gebrauch des Reflexivpronomens (vgl. 5 B)

1. Das deutsche **Reflexivpronomen im Dativ fehlt** im Niederländischen in der Regel. Vergleiche:

Ik kocht een pakje sigaretten. *Ich kaufte (mir) eine Schachtel Zigaretten.* – Hij bekeek de boeken. *Er sah sich die Bücher an.* – Waarom maak je zoveel aantekeningen. *Warum machst du dir soviele Notizen?*
Nur wenn Mißverständnisse denkbar wären, wird durch **voor mij (je, zich, ...) (zelf)** deutlich gemacht, daß man etwas für sich selbst gekauft, bestellt usw. hat.
Bei **Körperteilen und Kleidungsstücken** gebraucht man bekanntlich das entsprechende **Possessivpronomen** (vgl. 7 B):
Ik brak **mijn** been. *Ich brach mir das Bein.*

2. Auch sonst gibt es im Niederländischen **weniger reflexive Verben** als im Deutschen. Vgl. etwa:

bang zijn voor	sich fürchten vor, Angst haben vor	opklaren	sich aufklären
besluiten	sich entschließen	overgeven	sich übergeben
beter worden	sich bessern	rondkijken	sich umschauen
betrekken	sich beziehen	steunen	sich stützen
durven	sich trauen	veranderen	sich ändern
kou vatten	sich erkälten	weigeren	sich weigern
naderen	sich nähern	gaan liggen	sich hinlegen
		gaan zitten	sich hinsetzen

3. Der Infinitiv als adjektivische Bestimmung

De **te herhalen** lessen. *Die zu wiederholenden Lektionen.*

Während im Deutschen hier ein Partizip Präsens steht, ist es im Niederländischen einfach der Infinitiv.

Übungen   22 C

Übersetzen Sie: ,,Ich glaube nicht, daß man in Westeuropa noch wirklich von Grenzkontrollen sprechen könnte. Die Preise sind doch fast in allen Ländern gleich.'' ,,Das stimmt. Man darf inzwischen auch vieles mitnehmen. Und trotzdem bleibt es meiner Meinung nach interessant, im Ausland einzukaufen. Ich denke dabei vor allem an Lebensmittel: verschiedene Sachen findet man im eigenen Land einfach nicht, obwohl sich auf diesem Gebiet im Laufe der Jahre natürlich vieles gebessert hat. Man sagt: die Liebe geht durch den Magen. Nun, dann müßte man tatsächlich auch das Essen der Nachbarn kennenlernen!'' ,,Wahrscheinlich ist damit wohl eher das Kochen des Essens gemeint. Aber das macht ja nichts. Wichtiger ist, daß ich leider nicht so oft verreise wie du! Du solltest mir also immer etwas, und zwar immer etwas Neues mitbringen. Aber es müßte billig sein.'' ,,Das mache ich! Das würden aber immer Waren in Büchsen sein, denn mit frischen Waren würde es schon schwieriger werden." „Daran hatte ich nicht gedacht, aber du hast natürlich recht. Wann fährst du wieder hin?" „Nächste Woche schon." „Ich wäre dir sehr dankbar, wenn du mich nicht vergäßest!" „Ich werde es mir gleich aufschreiben, damit ich es nicht vergesse. Ich kann so etwas schlecht behalten."

22 D

kapper Friseur
weerbarstig [ʋeːrˈbɑrstəx] widerspenstig
buurt [byːrt] Nachbarschaft, Nähe
het kantoor [kɑnˈtoːr] das Büro
beleefd höflich
ooit je(mals)
zacht weich; sanft
verleden [v̌ərˈleːdə(n)] vorig, vergangen
permanenten [pɛrmɑˈnɛntə(n)] Dauerwelle machen
trouwens [ˈtrɑṵə(n)s] übrigens
achterkant Rückseite
bijknippen [ˈbeĭknɪpə(n)] beischneiden, stutzen
nek Nacken
scheiding [ˈsxeĭdɪŋ] Scheitel
verplaatsen verlegen
kapperszaak Friseurgeschäft

knippen schneiden (mit Schere)
werkelijk [ˈʋɛrkələk] wirklich
coupe [ˈkuˑp(ə)] Schnitt
bedoelen [bəˈduˑlə(n)] meinen
volgens nach, zufolge
volgens mij [mɛĭ] meiner Meinung nach
bovenop [boːv̌ənˈɔp] obenauf
uitdunnen [ˈɹ̵ydənə(n)] ausdünnen
ondertussen [ɔndərˈtɵsə(n)] inzwischen, unterdessen
droogkap Trockenhaube
veronderstellen [v̌ərɔndərˈstɛlə(n)] voraussetzen, annehmen
warmteregelaar Wärmeregler
tegelijk [təv̌əˈlɛĭk] gleichzeitig
bedoeling Absicht
bijzonder [biˑˈzɔndər] besonders
fl. *Abkürzung für:* Gulden

23. Stunde

Een onderonsje 23 A

„Arnout, ik zou willen dat je niet alles liet slingeren. Je maakt er een gewoonte van. Ik kwam vanmorgen op je kamer en je dure passer en tekenmateriaal lagen gewoon op de grond. Je kunt je er nauwelijks nog bewegen! Als je ooit tijd hebt, moet je eens een gedeelte van je jeugdboeken op zolder brengen, zodat je meer plaats hebt voor de rest."

„Maar mam", protesteert haar zoon, „die rommel is helemaal niet toevallig; dat is georganiseerde chaos. Ik vind het verschrikkelijk als alles opgeruimd in de boekenkast staat. Iedereen leert op zijn manier. Ik kan U door mijn rapport bewijzen dat ik ondanks of misschien juist dank zij die wanorde mijn lessen leer en dat ik in de klas goed meekom. Het kan in elk geval geen kwaad, want niemand heeft er feitelijk last van."

„Nou, ik ben ervan overtuigd dat het pure luiheid en slordigheid is. Zeg, je zei toch dat je zo knap bent, hé. Ik ga je eens aan de tand voelen." „Zo, waarover dan?" „Over maten en gewichten. Ik wil nagaan of je dat onder de knie hebt. Schrijf even op een blaadje papier; ik dicteer:
2 liter melk in plastic flessen,
$1/2$ pond varkensgehakt. Hoeveel gram is dat?" „250 gram natuurlijk." „3 ons belegen kaas." „300 gram bedoel je dus." „$1^1/2$ kilo malse peren. Je moet wel uitkijken dat ze niet overrijp zijn, want dan smaken ze melig, een rol witte keelpastilles, 3 meter zelfklevend kaftpapier, dubbele breedte. Mag ik het lezen?" „Gerust, hoor!" „Dat is sterk! Geen enkele fout. Je blijkt de stof inderdaad te kennen. Sorry voor de preek van daarnet! Het is vergeven en vergeten. Ik moet gauw weg. Het is immers al kwart over vijf. Ik haal het nog net vóór sluitingstijd. Tot strakjes." „Dag."

Erläuterungen   **23 B**

1. Maß-, Mengen- und Münzbezeichnungen

> Twee **kilo** koffie kosten meer dan tien **gulden**.
> *Zwei Kilo Kaffee kosten mehr als zehn Gulden.*

Nach einem Zahlwort (größer als eins) bleiben die Maß-, Mengen- und Münzbezeichnungen im Niederländischen wie im Deutschen grundsätzlich unflektiert.

Es gibt aber Abweichungen:

1. **Unflektiert** bleiben im Niederländischen immer **liter** *Liter*, **(kilo-, centi-)meter** (*Kilo-, Zenti-)Meter* und **ton** *Tonne*.

> Een vat met twintig **liter** bier. *Ein Faß mit zwanzig Liter(n) Bier.* –
> Met een snelheid van vijftig **kilometer** per uur. *Mit einer Geschwindigkeit von fünfzig Stundenkilometer(n)*.

Meistens unflektiert bleiben ebenfalls **jaar** *Jahr* und **uur** *Stunde*. (Nur im gehobenen Stil werden sie noch flektiert).

> Zij is drie **jaar** jonger dan ik. *Sie ist drei Jahre jünger als ich.* – Twee **uur** geleden. *Vor zwei Stunden.*

2. **Flektiert** werden **graad** *Grad*, **glas** *Glas* und **stuk** *Stück*, *Exemplar* (Plural: **stuks**, vgl. 5 B).

> Het wordt vandaag twintig **graden**. *Es werden heute zwanzig Grad.*

Übung 1

2. Das substantivierte Possessivpronomen

Van wie zijn die boeken? Dat zijn **de mijne.** = Dat zijn **die van mij.**
Wem gehören die Bücher (da)? Das sind meine.
Im Niederländischen gibt es hier zwei Möglichkeiten:

1. den Artikel **(de** bzw. **het)** + das flektierte Possessivpronomen: **de
mijne, ...;** oder:
2. das Demonstrativpronomen **(die** bzw. **dat)** + **van** + Personalpronomen: **die van mij, ...**
Aber nur: **die** (bzw. **dat) van jullie.**

Übung 2

3. Zur Wortbildung: die Stoffadjektive

houten, ijzeren, loden, gouden, ...
hölzern, eisern, bleiern, golden ...
Von den betreffenden Stoffnamen werden im Niederländischen
Adjektive mittels **-en** abgeleitet. (Diese bleiben dann immer unflek-
tiert! Vgl. 9 B).
Sie sind im Niederländischen sehr gebräuchlich: wenn es um die
Angabe des Materials geht, aus dem ein Gegenstand besteht, werden
sie sehr oft verwendet (während das Deutsche gerne Zusammensetzungen gebraucht).
Vgl. **wollen** jurken *Wollkleider*; aber: een **goudmijn** *eine Goldmine*
(keine Angabe des Materials!).
Ausnahme: bei modernen Stoffnamen, wie etwa **plastic** [ˈplɛstɪk]
oder **nylon** [ˈnɛïlɔn, ˈnaïlɔn], kommen solche Ableitungen kaum vor.
Man verwendet sie entweder in unveränderter Form als Adjektiv, een
plastic emmer *ein Plastikeimer* oder, wenn sie als eingebürgert ange-
sehen werden, in Zusammensetzungen: **nylonkousen** *Nylonstrümpfe.*

Übung 3

Übungen   23 C

1. Benutzen Sie das jeweils angegebene Zahlwort im Satz. Nach dem
Modell: Rij nog een kilometer verder. Twee. – Rij nog twee kilometer verder.
De benzine is alweer een cent duurder geworden. Vijf. – Zij is al een
jaar. Negen. – Je hebt een frank laten vallen. Twintig. – De discussie
duurde meer dan een uur. Vier. – Dat kost maar een dubbeltje.
Twee. – Ik bestelde nog een glas bier. Drie. – De auto reed met een
snelheid van een kilometer per uur. Honderdtwintig. – Het is maar

een graad boven nul. Tien. – Ze kochten een kilo bananen. Drie. –
De ijzerproduktie bedroeg een ton meer dan verleden jaar. Twaalf-
duizend. – Geeft U mij een liter melk, alstublieft. Twee.

**2. Benutzen Sie substantivierte Possessivpronomen (oder die Um-
schreibung).** Nach dem Modell: Wij trokken onze jas aan. – We
trokken de onze aan. (We trokken die van ons aan.)
Je hebt je kousen verkeerd aan. – Ik sliep in mijn bed. – Zijn kinderen
zijn op straat aan 't spelen. – Hij begreep ons antwoord verkeerd. –
Zijn dat Uw sigaretten?

3. Bilden Sie Stoffadjektive. Nach dem Modell: Dat horloge is van
goud. – Dat gouden horloge.
Die bekers zijn van tin. – De draad is van koper. – Wij zoeken
sleutels van smeedijzer. – De borden zijn van plastic. – De trui is van
wol.

het onderonsje [ɔndər'ɔnʃə] das intime
  Beisammensein; das Gespräch unter
  vier Augen
laten slingeren ['slɪŋərə(n)] herumlie-
  gen lassen
gewoonte Gewohnheit
passer Zirkel
het tekenmateriaal das Zeichenmate-
  rial
grond Boden
nauwelijks ['nɑŭələks] kaum
het gedeelte der Teil
het jeugdboek [jø:ɣdbuˑk] das Jugend-
  buch
zolder Dachboden
rommel Wust
verschrikkelijk [v̊ər'sxrɪkələk]
  schrecklich
het rapport das Zeugnis
juist [jəʏst] gerade
dank zij [sɛĭ] dank
wanorde Unordnung
het kan geen kwaad es schadet nicht
kwaad böse; übel
feitelijk ['fɛĭtələk] faktisch, in Wirk-
  lichkeit
slordigheid ['slɔrdəxɛĭt] Schlamperei
knap klug, gescheit

aan de tand voelen ['fuˑlə(n)] auf den
  Zahn fühlen
het blaadje das Blättchen
het varkensgehakt das Gehackte vom
  Schwein
het ons hundert Gramm
belegen [bə'le:ɣ̊ə(n)] alt, abgelagert
mals saftig und weich
peer Birne
uitkijken ['əʏtkɛĭkə(n)] sich vorsehen
smaken schmecken
wit weiß
keelpastille ['ke:lpɑstiˑ(j)ə] Halstablette
het kaftpapier das Einschlagpapier
dubbel ['dɔbəl] doppelt
breedte Breite
gerust, hoor! gern!, ohne Bedenken!
enkel einzig
blijken ['blɛĭkə(n)] sich herausstellen
je blijkt te (kennen) es stellt sich her-
  aus, daß du (kennst)
preek Predigt
daarnet soeben, vorhin
gauw schnell; bald
immers ja
het kwart das Viertel
het halen es schaffen
tot strakjes! bis nachher!

24. Stunde

Aan het water

Het is niet te verwonderen dat Nederland, dat een laag gelegen land is en voor een groot deel zelfs onder de zeespiegel ligt, voor de watersportliefhebber een paradijs is als misschien nergens anders ter wereld.

Er zijn meer dan honderd meren die onderling door rivieren en kanalen verbonden zijn. Een enig landschap!

De steden en dorpen die direct aan of bij het water liggen, zijn meestal op toeristen ingesteld.

Men hoeft geen eigen boot te hebben of lid te zijn van een vereniging om te kunnen zeilen. Mogelijkheden zijn er dus genoeg en makkelijker kan het niet!

Aan één van de vele zeilscholen krijgt men van een instructeur in kleine groepjes praktisch onderwijs op een boot. Overdag is men op het water. 's Middags wordt ergens in een gezellige haven aangelegd voor heerlijke poffertjes of pannekoeken. 's Avonds worden de zeilen omlaaggehaald. Gewoonlijk is men zo moe van de buitenlucht dat men na een gezelschapsspelletje, een partijtje monopoly of scrabble, vroeg het bed induikt, om 's morgens weer helemaal uitgerust op het appel aanwezig te kunnen zijn.

Het is de moeite waard om de bekende schilderachtige plaatsjes te bezoeken, de gemeente Giethoorn om maar een voorbeeld te noemen, waar al het verkeer nog per boot plaatsvindt. In dit verband is ook hun rijke geschiedenis dikwijls heel interessant.

Verder wordt er veel aan zwemmen, roeien, kanoën, motorboot varen en sportvissen gedaan. Dit laatste is een volkssport. Gedurende het visseizoen kan men in openbaar water, zowel in plassen als in de zee, vanaf een pier of vanaf een schip, zijn hengel uitwerpen.

U hebt nu vast de indruk gekregen dat de Nederlanders een heel sportief volk zijn. U kunt er uiteraard het best over oordelen als U zelf een vakantie op het water doorbrengt!

1. Allgemeine Zeitangaben

Die Wochentage:
maandag Montag, **dinsdag** Dienstag, **woensdag** Mittwoch, **donderdag** Donnerstag, **vrijdag** Freitag, **zaterdag** Samstag, **zondag** Sonntag

Die Monate:
januari [jɑny·lŭaːri·] Januar, **februari** [fe·bry·lŭaːri·] Februar, **maart** März, **april** April, **mei** Mai, **juni** Juni, **juli** Juli, **augustus** [ɑulɣɵstɵs] August, **september** September, **oktober** Oktober, **november** November, **december** [de·lsɛmbɵr] Dezember

maandags, dinsdags, ... montags, dienstags ...
's nachts, 's middags, ... nachts, mittags ...
vandaag, vanmorgen, ... heute, heute morgen ...
Over een week. In einer Woche.
Voor (oder: **vóór**) een week. = Een week **geleden.** Vor einer Woche.

Anmerkung: **Vóór** *vor* wird manchmal deutlichkeitshalber zur Unterscheidung von **voor** *vor* + *für* benutzt, vgl. das 1. Kapitel unter 6.

2. Das Partizip Präsens

De **werkende** bevolking. Die **arbeitende** Bevölkerung.

Wie im Deutschen wird das Partizip Präsens mittels **-end** gebildet.

Übungen **24 C**

Übersetzen Sie: „Euer Sohn erzählte mir, ihr wolltet schon bald umziehen. Ist das wahr?" „Ja, das stimmt. Wie du siehst, sind wir schon dabei, alles einzupacken: unsere Wohnung steht voll mit Koffern, Kartons und Kisten. Es bedeutet sehr viel Arbeit für uns alle. Und außerdem muß unser neues Haus eingerichtet werden. Wir sind sehr froh, daß wir die kleinen Kinder zu meinen Eltern bringen durften. Mein Mann hat sie am vergangenen Wochenende hingebracht." „Wie lange habt ihr hier bei uns im Dorf eigentlich gewohnt?" „Das sind jetzt fast sieben Jahre. Es hat uns hier immer sehr gut gefallen, vor allem weil wir eine schöne und große Wohnung hatten, deren Miete nicht zu hoch war, und weil wir wirklich angenehme und

freundliche Nachbarn hatten, mit denen wir immer gut auskamen."
„Ich finde es selbst auch schade, daß ihr umzieht." „Mein Mann
arbeitet seit ein paar Monaten in einer anderen Stadt, so daß er nur
noch samstags und sonntags zu Hause ist, und nachdem wir uns
wochenlang umgesehen hatten, haben wir endlich ein Haus in der
Nähe des Büros meines Mannes gefunden, dessen Preis so günstig war,
daß wir es sofort gekauft haben." „Das verstehe ich. Wenn ich helfen
soll, brauchst du es mir nur zu sagen." „Danke."

24 D

nergens nirgends, nirgendwo
ter wereld in der Welt
het meer der See
onderling untereinander
rivier Fluß, Strom
enig ['eːnəx] einzigartig
het lid das Mitglied
vereniging [vər'eːnəɣɪŋ] Verein
zeilen segeln
makkelijk ['mɑkələk] bequem, leicht
het onderwijs ['ɔndərʋɛɪs] der Unterricht
overdag [oːvər'dɑx] tagsüber
het poffertje das Kräpfchen
pannekoek ['pɑnəkuˑk] Pfannkuchen
omlaaghalen herunterholen
uitgerust ['əʏtxərəst] ausgeruht
aanwezig [aːn'ʋeːzəx] anwesend
op het appel [ɑ'pɛl] (aanwezig) zijn pünktlich dabeisein

schilderachtig ['sxɪldərɑxtəx] malerisch
gemeente Gemeinde
noemen ['nuˑmə(n)] nennen
het verband der Zusammenhang
geschiedenis [ɣə'sxiˑdənɪs] Geschichte
roeien ['ruˑiə(n)] rudern
kanoën ['kaːnoˑ-ə(n)] Kanu fahren
doen aan (be)treiben
gedurende [ɣə'dyːrəndə] während
openbaar öffentlich
plas der (kleine) See, Teich
vanaf von … aus, von … an
hengel Angel
vast sicher(lich)
doorbrengen verbringen
huur Miete

25. Stunde

Op het postkantoor   25 A

Een toerist komt door de draaideur een postkantoor in Gent
binnen. Hij kijkt zoekend naar de bordjes boven de loketten
en pakt een woordenboekje uit zijn zak. In zijn nabijheid staat
een persoon die hem gadeslaat en vervolgens het woord tot
hem richt: „Ik ben U graag van dienst, meneer. Ik hoop tenminste dat ik U niet stoor."
„O, integendeel, het is reusachtig aardig dat U me te hulp
schiet. Mijn probleem is dat er soms toch een verschil is tussen
de praktijk en de theorie van bijvoorbeeld een leerboekje. Ik
zal toch eerder mijn onzekerheid overwinnen als er iemand bij
me is die ook een beetje Duits verstaat om me bij het vertalen
eventueel te helpen. Kent U Duits?"

„Ik geloof het toch. Ik zal met U meegaan.", verklaarde de heer.
„Ik had graag tien postzegels voor beschreven prentbriefkaarten, zeven briefkaarten, deze expresbrief naar Zwitserland en een telegram." „Hiernaast.", mompelt de postbeambte. „U moet aan het loket ,telegraaf en telefoon' zijn om een telegram op te geven.", verduidelijkt de behulpzame man. „U moet dan eerst op een formulier de tekst invullen. U kunt daar ook een internationaal of interlokaal telefoongesprek aanvragen."
Na een kwartier verlaten ze opgelucht het gebouw. „Ik had niet gedacht zo vlug weer op straat te zullen staan. Dat heb ik aan U te danken!", zegt de Duitser lachend. „Mag ik U iets aanbieden?" „Een Belg drinkt de hele dag door koffie. Zo'n voorstel valt dus altijd in goede aarde."
„Uitstekend! Waar zullen we naartoe gaan?"
„Op de markt zijn er cafés te kust en te keur. Bent U te voet? Goed zo! Deze kant uit dan."
Keuvelend verdwijnen zij.

Erläuterungen 25 B

1. Ik denk HET, ik geloof HET, ik weet HET

Diese Verben haben **immer** ein Objekt bei sich. Vergleiche mit dem Deutschen:
„Zou hij nog honger hebben?" „**Ik denk het (wel).**" *„Würde er noch Hunger haben?" „Ich denke schon."* – „Regent het nog?" „**Ik weet het niet.**" *„Regnet es noch?" „Ich weiß nicht."* – „Gaan jullie dit jaar op reis?" „**Ik geloof het niet.**" *„Verreist ihr dieses Jahr?" „Ich glaube nicht."*

Idiom:	Ik denk het (wel)	= Ik denk van wel
	Ik geloof het (wel)	= Ik geloof van wel
	Ik denk het niet	= Ik denk van niet
	Ik geloof het niet	= Ik geloof van niet

Übung 1

2. Unpersönliche Verben

Het regent, het sneeuwt, ... Es regnet, es schneit ...
Witterungserscheinungen werden im Deutschen wie im Niederländischen durch unpersönliche Wendungen ausgedrückt.

Sonst sind im Niederländischen unpersönliche Verben sehr **selten**.
Vergleiche:

ik blijk	es stellt sich heraus, daß ich
ik heb 't koud	mir ist kalt, ich friere
ik heb 't warm	mir ist warm
ik word duizelig	mir wird schwindlig
hij mist (moed, een boek, ...)	ihm fehlt (Mut, ein Buch, ...)
ik walg van	mich (oder: mir) ekelt vor
ik slaag	es gelingt mir; ich bestehe

3. Infinitiv der Zukunft

Zij belooft morgen te **zullen komen**. *Sie verspricht, morgen zu
kommen.* = ..., *daß sie morgen kommen wird.*
Dieser Infinitiv der Zukunft mit **zullen** muß nicht unbedingt gebraucht werden, ist aber typisch niederländisch.

Übungen   25 C

1. Ergänzen Sie die Sätze. Nach dem Modell: Zij willen niet geholpen
worden. Weten. – Ik weet het.
Waarom heeft de regering de lonen geblokkeerd? Niet weten. –
Komt haar tante ook op het trouwfeest? Niet denken. – Ze heeft een
lastige reis achter de rug. Weten. – De ontwikkeling van dat project is
technisch onmogelijk. Ook geloven. – Volgens mijn mening denkt hij
alleen aan zijn eigen voordeel. Niet denken. – Zou hij kwaad zijn op
mij? Niet geloven. – Gaat zijn dochter dit jaar nog trouwen? Niet
zeker zijn van. (!) – Is hij voor zijn examen geslaagd? Niet weten. –
Is hij nog altijd ziek? Geloven.

2. Übersetzen Sie: Heute abend habe ich nach der Arbeit noch viel
vor: ich will vor Geschäftsschluß verschiedene Besorgungen in der
Stadt machen. Da meine Frau morgen Geburtstag hat, erwarten wir
viele Gäste. Das Gebäck hole ich natürlich erst morgen mittag beim
Bäcker. Aber für die Getränke sorge ich lieber jetzt, da ich morgen
noch weniger Zeit habe. Dazu brauche ich den Wagen, obwohl ich
fürchte, im Zentrum keinen Parkplatz zu finden (*Infinitiv der Zukunft!*).
Manchmal bin ich so verzweifelt und nervös, daß mir der Mut fehlt,
noch mit dem Auto in die Stadt zu fahren.

25 D

het postkantoor das Postamt	**reusachtig** [rø·ˈzɑxtəx] riesig
het woordenboekje das kleine Wörter-buch	**te hulp schieten** zur Hilfe eilen
nabijheid [naːˈbɛ͜ɪhɛ͜ɪt] Nähe	**het verschil** der Unterschied
gadeslaan beobachten	**praktijk** [prɑkˈtɛ͜ɪk] Praxis
vervolgens darauf	**overwinnen** überwinden, besiegen
	vertalen übersetzen

verklaren erklären
prentbriefkaart Ansichtskarte
briefkaart Postkarte
Zwitserland Schweiz
mompelen ['mɔmpələ(n)] murmeln
behulpzaam [bə'həl(ə)psa:m] dienst-
fertig
invullen ausfüllen
het interlokaal telefoongesprek das
Ferngespräch

opgelucht ['ɔpxələxt] erleichtert
de hele dag door den ganzen Tag (hin-
durch)
het voorstel der Vorschlag
in goede aarde vallen auf guten Boden
fallen
uitstekend [əyt'ste:kənt] ausgezeichnet
te kust en te keur [kø:r] in Hülle und
Fülle
keuvelen ['kø:v̆ələ(n)] plaudern

26. Stunde

In de garage   26 A

In het bedrijf Tieskens & Co. komen de eerste auto's al heel
vroeg in de morgen binnenrijden.

Sommigen komen voor een gewone servicebeurt, anderen omdat
er iets aan de wagen mankeert.

Een heer, die juist zijn auto komt afhalen, is in gesprek met de
monteur. „Goedemorgen meneer. De auto kan er weer voor een
poosje tegen: hij heeft een doorsmeerbeurt gehad, is grondig
nagekeken en de nodige reparaties zijn uitgevoerd. Alstublieft,
hier heeft U de gespecificeerde rekening. Dat bedrag dat erbij
komt is de BTW. Zullen we de punten even samen doornemen?

– U had opgegeven: het in de was zetten van de lak. Kijkt U
eens: hij blinkt als een spiegel. De waarde van een tweedehandse
auto wordt later bij een eventuele verkoop ook naar zijn
carrosserie beoordeeld.

– We hebben er twee banden op gezet. Mag ik U wel vragen na
een paar honderd kilometer terug te komen om de wielen te
laten uitbalanceren?

– De accu, die de elektrische installatie voedt, is opgeladen,
zodat de knipperlichten en het plafondlampje in het wageninterieur nu weer functioneren.

– De remblokjes waren tot op een derde van hun normale dikte
afgesleten en zijn door nieuwe vervangen.

– De koplampen afstellen: de lichtbundel was te hoog gericht,
waardoor U de tegenliggers verblindde.

– De olie werd ververst en tegelijk een nieuwe oliefilter ge-
monteerd.

– Enkele kleinere onderdelen: vier bougies en twee ruitewissers.
– U had ook geklaagd over het feit dat de motor bij stationair draaien voortdurend afsloeg: wij hebben de ontsteking nagekeken en het stationaire toerental verhoogd. Dat laatste was ook wel de eigenlijke oorzaak.

Zo meneer, dat was het dan, gaat U akkoord? De wagen is nu volkomen in orde, dat garandeer ik U. Wilt U aan de kassa betalen?"

,,Tot ziens en welbedankt." Tot zijn vreugde viel de rekening niet zo hoog uit als hij gevreesd had.

Erläuterungen 26 B

1. Wortbildung: Bildung der Diminutive

Die Möglichkeiten zur Diminutivbildung sind im Niederländischen wesentlich größer als im Deutschen. Die Verkleinerungswörter werden auch häufiger verwandt (nicht so häufig aber wie etwa im Schwäbischen!).

1. Allgemeine Regel: **-je.**
   het bank**je** *die kleine Bank*, het schat**je** *das Schätzchen*.

2. **nach Vokal** (einschl. Diphthonge und Vokalverbindungen): **-tje.**
   het autoo**tje** *das kleine Auto*, het leeuw**tje** *der kleine Löwe*.

3. **nach Liquidae und Nasalen** (l, r, m, n oder ng):
   a) nach einem **betonten kurzen Vokal: -etje.**
   het stall**etje** *der kleine Stall*, het somm**etje** *die kleine Summe*.
   b) Sonst: 1. nach **m: -pje.**
   het riem**pje** *der kleine Riemen*.
   2. nach den **anderen: -tje.**
   het zoon**tje** *das Söhnchen*, het lepel**tje** *das Löffelchen*.
   c) nach **-ing** (= deutsch *-ung*): **-kje.**
   het palin**kje** *der kleine Aal*.

   Aber: wenn vor der Endung **-ing** eine unbetonte Silbe steht: **-etje.**
   het wandeling**etje** *der kleine Spaziergang*.

4. Einige Substantive, die im Plural Stammwechsel kennen (vgl. 2 B), haben dies auch im Diminutiv. Die wichtigsten sind:

het blad *Blatt*	– het blaadje	het pad *Pfad*	– het paadje
het gat *Loch*	– het gaatje	het schip *Schiff*	– het scheepje
het glas *Glas*	– het glaasje		

Übung 1

2. Die Bruchzahlen

$^1/_2$ = een half	$^3/_4$ = driekwart, drie vierde(n)
$1^1/_2$ = anderhalf	$^1/_5$ = een vijfde
$^1/_3$ = een derde	$3^1/_5$ = drie en vier vijfde(n)
$^2/_3$ = twee derde(n)	$0,1$ = een tiende
$^1/_4$ = een kwart, een vierde	

Die niederländischen Bruchzahlen werden einfach von den entsprechenden Ordnungszahlen abgeleitet (einzige Ausnahmen sind **een half** und **een kwart**), vgl. 16 B.

Übungen   26 C

1. Bilden Sie die Verkleinerungsform. Nach dem Modell: Het kind. – Het kindje.
De man. – De straat. – De auto. – Het bier. – Het blad. – De bui. – De ster. – De baby. – De kan. – Het huis. – De zee. – De bloem. – De sleutel. – De ring. – De deur. – De kar. – Het glas. – De verzameling. – De trui. – De tante. – De haring. – De koe. – De naam. – De kist. – Het café. – De tafel. – De koek. – De les. – De stad. – De zoen. – De arm. – De stoel. – De club. – Het paard. – De stem. – Het meubel. – Het nieuws. – De zaak.

2. Übersetzen Sie: „Nachdem wir schon so oft darüber gesprochen haben, wollten meine Frau und ich Sie und Ihre ganze Familie endlich mal einladen. Wir hatten an den kommenden Sonntag gedacht. Sie bleiben dann natürlich abends bei uns zum Essen. Ich hoffe, daß es Ihnen paßt." „Vielen Dank! Das ist wirklich sehr freundlich von Ihnen, aber leider verreisen wir an diesem Wochenende." „Das ist schade! Wohin fahren Sie denn?" „In die Niederlande. Wir wollen meinen Bruder besuchen." „Ich wußte nicht, daß Ihr Bruder in den Niederlanden wohnt." „Ja, er wohnt schon seit mehreren Jahren in Delft, wo er für eine deutsche Handelsfirma arbeitet. Es gefällt ihm immer noch ausgezeichnet: er hat dort zum Beispiel auch seine spätere Frau kennengelernt." „Ist sie Niederländerin (*Übersetzen Sie:* eine Niederländerin)? Ach ja, jetzt weiß ich es wieder. Ich glaube, ich habe vor ein paar Monaten bei Ihnen zu Hause mal ihr Töchterchen gesehen, das wohl ungefähr sechs Jahre alt war. Geht sie schon in die Schule?" „Ja, seit einem halben Jahr, und mit den beiden Sprachen hat sie überhaupt keine Schwierigkeiten, wie ich selbst feststellen konnte."

het bedrijf [bəˈdrɛɪf] der Betrieb
servicebeurt [ˈsœː(r)viˑzbøːrt] Inspektion
mankeren [maŋˈkeːrə(n)] fehlen
het poosje [ˈpoːʃə] das Weilchen
ertegen kunnen [ˈkenə(n)] es tun
doorsmeerbeurt Abschmierdienst
nakijken [ˈnaːkɛɪkə(n)] prüfen
grondig [ˈɣrɔndəx] gründlich
BTW [beːteːˈʋeː] = belasting op de toegevoegde waarde Mehrwertsteuer
was Wachs
waarde Wert
tweedehands [tŭeːdəˈhɑnts] gebraucht
band Reifen
het wiel das Rad
uitbalanceren [ˈəʏdbɑlɑnseːrə(n)] auswuchten
voeden [ˈʋuˑdə(n)] nähren
het knipperlicht das Blinklicht
het plafondlampje [plɑˈfɔnlɑmpĭə] Innenleuchte
het wageninterieur [ˈʋaːɣ̊ə(n)ɪnteˑrĭøːr] das Wageninnere

het remblokje Bremsbacke
afslijten [ˈɑfslɛɪtə(n)] abnutzen
vervangen auswechsen, ersetzen
afstellen einstellen
tegenligger(s pl.) Gegenverkehr
olie [ˈoːliˑ] Öl
verversen wechseln
het onderdeel das Ersatzteil
bougie [buˈʒiˑ] Zündkerze
ruitewisser [ˈrəʏtəʋisər] Scheibenwischer
het feit [fɛɪt] die Tatsache
het stationair draaien [stɑsĭɔˈnɛːr] der Leerlauf
voortdurend [ʋ̊oːrˈdyːrənt] (an)dauernd
afslaan ausgehen
ontsteking [ɔntˈsteːkɪŋ] Zündung
het toerental [ˈtuːrə(n)tɑl] die Drehzahl
akkoord gaan einverstanden sein
vreugde [ˈʋ̊røːɣ̊də] Freude
vrezen fürchten

27. Stunde

Kunsten en cultuur 27 A

We zouden een belangrijk aspect van het Nederlandse volkseigen buiten beschouwing laten indien we aan het culturele leven voorbij zouden gaan.

Zowel Noord- als Zuid-Nederland kunnen zich op een rijke geschiedenis beroemen. Wereldberoemde kunstschatten bevinden zich in talrijke musea, verspreid over het hele land.

Zelfs indien men een willekeurige greep doet in b. v. de schilderkunst komt men door de eeuwen heen zulke klinkende namen tegen als Jeroen Bosch, Rembrandt, Rubens, wier werken van genialiteit getuigen. Ook in modernere periodes zijn er meesters als de expressionist Permeke, de abstracte Mondriaan, de surrealist Ensor, om maar enkele internationale namen te noemen.

De staat, meer bepaald het ministerie van cultuur, recreatie en maatschappelijk werk, steunt dikwijls de creatieve initiatieven. Hij subsidieert culturele instellingen, verleent beurzen, schrijft wedstrijden uit.

Wat het toneel betreft: er zijn de beroepsgezelschappen, die in de officiële schouwburgen optreden. Dit betekent echter niet dat de daarnaast ontstane amateurgroepen niet aan bod komen. Zij hebben ruimschoots de gelegenheid hun eigen repertoire in de kleinere kamertheaters op te voeren. Op deze wijze krijgen ook de avant-gardestukken een kans op doorbraak.

Niet alleen de doorsneeburger heeft belangstelling voor elke vorm van kunstexpressie, maar ook de jeugd toont veel interesse. Zij heeft met een cultureel jongerenpaspoort voordeliger toegang tot tentoonstellingen, voorstellingen en opvoeringen. Binnen het theater wordt er veel aan kleinkunst gedaan. Zij is nauw verwant met het cabaret en het variété en vindt vaak haar oorsprong in de straatliedjes van de orgeldraaier. De liedjes zijn sociaal getint en bestrijken het hele gamma van menselijke gevoelens. De kleinkunstenaars zouden zeggen: ,,Wij zingen liedjes ,uit het leven gegrepen'."

Het hier geschetste beeld is uiteraard zeer onvolledig, maar hieruit blijkt voldoende dat we ons op een sombere regenachtige dag evenmin als op een heel normale dag niet hoeven te vervelen.

Erläuterungen · 27 B

1. Die Demonstrativpronomen (2)

Neben den in 6 B behandelten Demonstrativpronomen gibt es:

dezelfde, hetzelfde	der-, dieselbe, dasselbe
dergelijk(e) ['dɛrɣ̊əlɛɪk] **zodanig(e)** [zoˑ'daːnəx] (selten) }	derartig(e, -er, -es)
zo'n **zulk(e)** (mehr schriftsprachlich) }	solch(e, -er, -es), so ein(e)
degene diegene } **hetgeen**	der-, diejenige dasjenige

Anm.: Schriftsprachlich findet sich auch **gene** und **ginds** *jene(r, -s):* **gindse** boom = **die** boom **(daar)** *jener Baum, der Baum dort.*

2. Struktur: er wordt gelachen

Das unpersönliche Passiv wird im Niederländischen mittels **er wordt**
(bzw. im Plural: **er worden** bzw. im Imperfekt **er werd[en]**, usw.)
ausgedrückt.

Er wordt gelachen. *Es wird gelacht.*
Er bleibt dabei immer erhalten.
Werd er nog lang gedanst? *Wurde noch lange getanzt?*
Auch mit Subjekt hat diese Struktur immer **er**.
Er werden nieuwe borden geplaatst. *Es wurden neue Schilder auf-
gestellt.* – **Werden er** veel platen verkocht? *Wurden viele Platten
verkauft?*

Übung 1

3. Verben der Bewegung: ihre Bedeutung

Luft

$$\begin{array}{ccc} & \text{vliegen} & \textit{auf Rädern,} \\ \textit{zu Fuß:} & \uparrow & \textit{zu Pferd:} \\ \text{gaan, lopen} \leftarrow & \text{gaan} \rightarrow & \text{rijden} \\ & \downarrow & \\ & \text{varen} & \end{array}$$

Land   ...   Land

Wasser

1. Bemerkenswert ist, daß **gaan** im Niederländischen für alle Bewe-
gungsarten gebraucht werden kann:
Ik **ga** met de trein naar Berlijn. = Ik **rijd** met de ... *Ich fahre mit
dem Zug nach Berlin.*

2. Beachte weiter die Bedeutungsunterschiede:
rijden = auf Rädern fahren + reiten
varen = auf dem Wasser fahren

Übungen   27 C

1. Bilden Sie Sätze mit er. Nach dem Modell: Men roept om hulp. –
Er wordt om hulp geroepen.
Men demonstreert. – Schoot men? – Men zwijgt. – Men kijkt veel
naar de TV. – Men speculeert op alle mogelijke manieren. – Ik hoop
dat men geen fouten gemaakt heeft! – Discussieerde men veel?

2. Übersetzen Sie: Ich bringe meinen Wagen regelmäßig zur Inspektion in die Werkstatt, obwohl solche Inspektionen nicht immer billig
sind; denn ein Auto soll technisch in Ordnung sein, ich denke dabei

zum Beispiel an die Bremsen. Zum Glück brauchen aber Autos heute weniger Inspektionen als früher. In der Zwischenzeit kontrolliere ich selbst mindestens einmal im Monat das Wasser in der Batterie, den Ölstand, den Reifendruck und alle Lichter. Mit dem Auto selbst bin ich eigentlich sehr zufrieden, so daß ich beabsichtige, nächstes Jahr wieder dasselbe Modell zu kaufen. Sie müssen nämlich wissen, daß das Auto, das ich jetzt habe, schon fast fünf Jahre alt ist und daß ich mit ihm mehr als 80 000 Kilometer gefahren bin.

27 D

het volkseigen die Eigenart eines Volkes
buiten [ˈbəʏtə(n)] **beschouwing** [bəˈsxɑûɪŋ] **laten** außer Betracht lassen
indien [ɪnˈdiˑn] wenn
verspreiden verbreiten
willekeurig [ʋɪləˈkøːrəx] willkürlich
greep Griff
b. v. = **bijvoorbeeld** zum Beispiel
eeuw [eːʏ] Jahrhundert
getuigen van zeugen von
het ministerie [miˑnɪsˈteːriˑ] **van cultuur, recreatie** [reˑkreˑˈjaː(t)siˑ] **en maatschappelijk** [maːtˈsxɑpələk] **werk** das Kultus- und Sozialministerium
steunen [ˈstøːnə(n)] unterstützen
subsidiëren [səpsiˑˈdïeːrə(n)] subventionieren
instelling Einrichtung
verlenen verleihen
beurs Stipendium
wedstrijd [ˈʋɛtstrɛɪt] Wettkampf

het toneel das Theater
schouwburg [ˈsxɑûbər(ə)x] das Theater
aan bod komen zum Zuge kommen
ruimschoots [ˈrəʏmsxoːts] reichlich
doorbraak Durchbruch
doorsneeburger Durchschnittsbürger
belangstelling Interesse
tonen zeigen
het cultureel jongerenpaspoort der Jugendausweis für kulturele Veranstaltungen
voordelig [v̌oːrˈdeːləx] vorteilhaft
tentoonstelling Ausstellung
nauw eng
orgeldraaier Leierkastenmann
(sociaal) getint mit einem (sozialen) Anstrich
schetsen skizzieren
onvolledig [ɔnv̌ɔˈleːdəx] unvollständig
voldoende [v̌ɔlˈduˑndə] genügend
somber düster
evenmin ebensowenig

28. Stunde

Brief aan de Vereniging voor Vreemdelingenverkeer (V.V.V.)   **28 A**

Aan de Vereniging voor
Vreemdelingenverkeer
Den Haag
(Nederland)

Solingen, 19 juni 19..

    Mijne Heren,

    Aangezien ik van de vijfde tot de dertigste augustus a. s. van plan ben samen met mijn gezin de vakantie in Nederland door te brengen, zou ik graag uitvoerige informatie toegestuurd krijgen.

Ik persoonlijk stel belang in de bezienswaardigheden, historische gebouwen en musea in de grote steden of elders. Ik ben op comfort en gemak gesteld en zoek voor die periode rustige hotelaccomodatie met volledig pension.

Mijn vrouw en mijn twee kinderen van resp. 13 en 9 jaar beschouwen vakantie in de eerste plaats als ontspanning. Ze zijn graag aan de zee of in een bosrijke omgeving.

Het zou natuurlijk ideaal zijn indien elk van ons aan zijn trekken zou komen en indien onze wensen op de een of andere manier gecombineerd konden worden.

Wat het vervoer betreft bestaan er geen problemen, daar we met de auto komen.

In afwachting van een spoedig antwoord dank ik U bij voorbaat.

Met de meeste hoogachting,

(Dieter Fischer)

Mijn adres : D-565 **Solingen**
Friedrichstr. 64
(Duitsland)

Erläuterungen **28 B**

Das Schreiben eines Briefes

I. **Anschrift:**

> **De Heer/ Mevrouw/ Mejuffrouw/
> De Heer en Mevrouw/ De Firma**
> J. Kuiper
> Kerkstraat 14
> **Roermond**

Gebräuchliche Abkürzungen: **Mevrouw** = **Mevr.**; **Mejuffrouw** =
Mej. Wo **De** gebraucht wird, kann auch **Aan de** verwendet werden:
Aan de Heer, usw.

II. **Anrede:** (sehr) höflich: **(Zeer) geachte** $\left\{ \begin{array}{l} \textbf{Heer} \\ \textbf{Mevrouw} \text{ (Kuiper),} \\ \textbf{Mejuffrouw} \end{array} \right.$

Wenn man **Zeer** wegläßt, wird **geachte** groß geschrieben.
unpersönlich: **Mijne Heren,**
kollegial: **Waarde** Heer, (oder: Mevrouw, Collega, usw.)
freundschaftlich: **Beste** Jan, **Lieve** Jan,
intim: **Liefste** Jan,

Weitere Erläuterungen zu I. und II.: In den Niederlanden (nicht in Belgien!) gibt es im Geschäftsverkehr für die Bezeichnung des Empfängers und die entsprechende Anrede oft eine sehr weitgehende Differenzierung nach Titel, Stand und/oder Beruf.

Hier folgen nur einige Beispiele. Die Formel ist jeweils für Anschrift und Anrede die gleiche, nur das **De** fällt bei der Anrede weg.

Ohne Titel: **De Weledele Heer**
 De Weledelgeboren Heer

Wenn man einen Titel vermutet, ihn aber nicht kennt, kann man hinter Heer **s.s.t.t.** (= 'salvis titulis' *Titel ausgenommen*) hinzufügen.

Mit akademischem Abschluß: **De Weledelgeleerde Heer**
Promovierter: **De Weledelzeergeleerde Heer**
Professor: **De Hooggeleerde Heer**
Anwalt, Notar: **De Weledelgestrenge Heer**
Richter: **De Edelachtbare Heer**

Bei Frauen ist diese Differenzierung weniger gebräuchlich. Man ersetzt dann **Heer** durch **Vrouwe**.

III. Schlußformel:

sehr höflich: **Met de meeste hoogachting,**
höflich: **Hoogachtend,**
kollegial/freund-
schaftlich: **Met** $\left\{\begin{array}{l}\textbf{vriendelijke}\\\textbf{hartelijke}\end{array}\right\}$ **groeten,**
intim: **Veel liefs van je**

Anmerkung:

1. Die höfliche Anredeform **U** wird bekanntlich oft groß geschrieben (vergl. das 1. Kapitel unter 5.), die vertraulichen Formen **jij, je** bzw. **jullie** hingegen nie.

2. In Belgien gibt es ebenfalls Postleitzahlen (‚postnummers').

Übungen   **28 C**

Übersetzen Sie:

D–355 Marburg, den 29. April 19..
Friedhofstr. 9

Hotel Rembrandt
Markt 32
B – 8000 **Brügge**
(Belgien)

Sehr geehrte Herren,
Da meine Frau und ich gerne ein Wochenende im Juni in Ihrer Stadt verbringen möchten, möchte ich Sie bitten, für uns ein Doppelzimmer vom 22. bis zum 25. Juni zu reservieren. Wir würden am Freitagabend, dem 22. Juni, gegen 19 Uhr mit dem Zug ankommen

und am Montag, dem 25. Juni, nach dem Mittagessen wieder abreisen. Es würde sich dabei also um drei Übernachtungen handeln.

Nach dem uns von dem Verkehrsverein Ihrer Stadt zugesandten Prospekt bieten Sie auch Halbpension an. Von diesem Angebot möchten wir gern Gebrauch machen.

Da der Verkehrsverein Ihres Ortes wahrscheinlich aus Versehen keinen Stadtplan beigefügt hatte, wäre ich Ihnen sehr dankbar, wenn Sie mir einen zuschicken könnten.

Besten Dank im voraus.

Hochachtungsvoll,

(Helmut Kaiser)

28 D

Vereniging voor Vreemdelingenverkeer (V.V.V.) (Fremden-)Verkehrsverein
Mijne Heren Sehr geehrte Herren
aangezien weil, da
aanstaande (a. s.) kommend
belangstellen in sich interessieren für
bezienswaardigheid [bəzi·ns'ʋaːrdəxɛɪt] Sehenswürdigkeit
elders sonstwo, anderswo
het gemak die Bequemlichkeit
gesteld zijn op großen Wert legen auf
het volledig [vɔ'le:dəx] epnsion [pɛn'sïon] die Vollpension

respectievelijk [rɛspɛk'ti·vələk] (resp.) beziehungsweise (bzw.)
beschouwen [bə'sxɑũə(n)] betrachten
bosrijk ['bɔsrɛïk] waldig, waldreich
aan zijn [zən] trekken komen auf seine Kosten kommen
het vervoer [vər'vuːr] der Transport
afwachting Erwartung
spoedig ['spu·dəx] baldig
bij voorbaat im voraus
Met de meeste hoogachting Hochachtungsvoll, Mit vorzüglicher Hochachtung

29. Stunde

Het antwoord van de V.V.V.   29 A

De Heer
D. Fischer
D-565 **Solingen**
Friedrichstr. 64

Den Haag, 27 juni 19..

Zeer geachte Heer Fischer,

In antwoord op Uw schrijven d. d. 19-6-19.. kan ik U een drietal voorstellen doen:

1. U kunt naar Zeeland rijden. Deze Nederlandse provincie is een streek met pittoreske steden als Middelburg, Vlissingen,

Veere, Goes. Voor Uw vrouw en kinderen is er een overvloed van mogelijkheden: ze kunnen wandelen in de duinen en alle takken van de watersport beoefenen, zowel aan de zee als aan een meer.

2. De Veluwe bezit het grootste natuurreservaat van Nederland. U kunt er heerlijke rustige wandeltochten maken of fietsen huren voor een hele dag. In de buurt liggen interessante oud-Hollandse steden als Apeldoorn, Arnhem, Utrecht.
Het Kröller-Möller-museum te Otterlo bezit een unieke Van-Gogh-collectie.

3. In Egmond bent U weer in de nabijheid van de zee. De lucht aan de Noordzee heeft een hoog jodiumgehalte en is erg gezond. Indien U deze badplaats als uitgangspunt neemt, kunt U in eendagsuitstapjes b. v. de afsluitdijk overrijden of de plaatsen Zaandam, Alkmaar of Haarlem bezoeken.

Ingesloten vindt U enkele folders en een lijst van hotels.

Ik hoop dat U aan de hand van deze suggesties een keuze kunt maken en wens U een prettige vakantie in Nederland.

Met de meeste hoogachting,

(Huub Jansen)

Erläuterungen 29 B

1. Wortbildung: Movierung

Die Ableitung weiblicher Personennamen von den entsprechenden männlichen Namen ist im Niederländischen wesentlich differenzierter als im Deutschen: es gibt vier ungefähr gleich häufige Suffixe. Ihre Anwendung kann nur teilweise in Regeln gefaßt werden.
Es bekommen:

-e: 1. die Wörter auf **-ling:** een vreemde**linge** *eine Fremde*.

2. die Wörter auf **-t:** een architec**te** eine *Architektin*, een studen**te** *eine Studentin*.
Es gibt hierzu nur ganz wenige Ausnahmen, u. a. een vorstin *eine Fürstin*, een profetes *eine Prophetin*.

3. weibliche **Einwohner** werden immer durch die betreffenden **substantivierten** Adjektive (also mit Anhängung von **-e**) bezeichnet:

123

Adjektiv	Personenname	
Amerikaans	een Amerikaanse	*eine Amerikanerin*
Belgisch	een Belgische	*eine Belgierin*
Amsterdams	een Amsterdamse	*eine Amsterdamerin*

-ster: die meisten Wörter auf **-er** und **-aar:** een huishoud**ster** *eine Haushälterin*, een naai**ster** *eine Näherin*, een verzamelaar**ster** *eine Sammlerin*.
Vgl. für Beispiele der relativ zahlreichen Ausnahmen unter **-es.**

-in (mit **Akzent** auf **-in!**):
   1. alle weiblichen **Tiere:** een ber**in** [be:ˈrɪn] *eine Bärin*.
   2. eine beschränkte Zahl von Wörtern, z. B. een vriend**in** [v̌riˑnˈdɪn] *eine Freundin*, een koning**in** [koˑnəˈŋɪn] *eine Königin*.

-es (mit **Akzent** auf **-es**):
   1. eine beschränkte Anzahl von Wörtern auf **-er** und **-aar** (sie bilden Ausnahmen zu der obigen **-ster**-Regel), z. B. een onderwijzer**es** [ɔndərʋɛĭzəˈrɛs] *eine Volksschullehrerin*, een zanger**es** [zaŋəˈrɛs] *eine Sängerin*, een lerar**es** [leˑraˈrɛs] *eine Lehrerin*.
   2. einige andere Wörter, z. B. een prins**es** [prɪnˈsɛs] *eine Prinzessin*.

Daneben gibt es noch andere, allerdings viel seltenere Suffixe:

-trice [-ˈtriˑsə], **-drice** [-ˈdriˑsə]: bei Wörtern auf **-teur** bzw. **-deur:** een direc**trice** *eine Direktorin*, een ambassa**drice** *eine Botschafterin*.

-esse: z.B. een secretar**esse** [sɛkrətaˈrɛsə] *eine Sekretärin*.

-is: in: een abd**is** [abˈdɪs] *eine Äbtissin*.

-egge, -ei: in: een diev**egge** [diˑˈv̌ɛɣ̌ə] *eine Diebin* bzw. een klapp**ei** [klaˈpɛĭ] *eine Lästerin*.

Schließlich ist eine Ableitung manchmal sogar unmöglich! Beispiel: een vrouwelijk(e) arts *eine Ärztin*.

2. Substantiv: Plural der Fremdwörter auf -us und -um

-us: Die Fremdwörter auf **-us** haben im Plural die lateinische Endung **-i,** wenn sie Personen bezeichnen, sonst die regelmäßige Endung **-en.** Vergleiche: politic**us** [poˑˈliˑtiˑkəs] *Politiker* – politic**i** [poˑˈliˑtiˑsiˑ] aber: curs**us** *Kurs* – curs**ussen**

-um: Bei den meisten Fremdwörtern auf **-um** hat man die Wahl zwischen lateinisch **-a** oder angehängtem **-s,** wobei im gehobeneren Stil das „gelehrtere" **-a** bevorzugt wird:

het muse**um** *Museum* – mus**ea**, muse**ums**

Nur -a haben einige Wörter wie het narcotic**um** *das Narkotikum* und het criteri**um** *das Kriterium*.

Nur -s haben ganz wenige Wörter, von denen het alb**um** *das Album* und de garani**um** *die Pelargonie* die wichtigsten sind.

Übersetzen Sie:

Brügge, den 5. Mai 19..

Herrn
Helmut Kaiser
D - 355 **Marburg/Lahn**
Friedhofstr. 9
(Deutschland)

Sehr geehrter Herr Kaiser,
Wir freuen uns, Ihnen in Beantwortung Ihres Schreibens vom 29. April 19.. mitteilen zu können, daß wir für Sie ein Doppelzimmer mit Halbpension für die gewünschte Zeit reserviert haben. Schreiben Sie uns bitte noch, ob Sie ein Zimmer mit oder ohne Bad wünschen.
Auf dem beigefügten Stadtplan haben wir als Orientierungshilfe unser Hotel angekreuzt. Wie Sie sehen, liegt es vom Bahnhof aus gesehen etwa zehn Minuten zu Fuß in Richtung Zentrum.
Wir hoffen, daß es Ihnen bei uns gefallen wird.

Hochachtungsvoll,
(Karel Breukers)
Direktor

29 D

Zeer geachte Heer Sehr geehrter Herr
de dato (d. d.) vom
het drietal etwa drei
provincie [proˑˈʋinsiˑ] Provinz
tak Zweig; Art
beoefenen [bəˈuˑfənə(n)] ausüben, be-
treiben

wandeltocht Wanderung
uniek [yˑˈniˑk] einzigartig
het eendagsuitstapje der Tagesausflug
afsluitdijk [ˈɑfsləʏdɛĭk] Abschluß-
damm
folder Faltprospekt
suggestie [səˈɣɛstiˑ] Anregung

30. Stunde

Een persoonlijke brief   30 A

Berlijn, 29 september 19..

Beste Roel en Margriet,
Zoals beloofd krijgen jullie wat van me te horen.
Ik kan uit de grond van mijn hart zeggen dat het verblijf in Nederland niet alleen leerzaam, maar ook ontzettend aange-

naam is geweest. Niets dan de beste herinneringen voor mij! Jullie hoeven me nu niet meer over te halen om nog eens te komen. De volgende keer, hopelijk al in een nabije toekomst, kom ik niet alleen, maar met mijn hele gezin. We hebben een caravan en die moet toch ergens voor dienen!

Een eerste bezoek aan een land kan slechts een algemene indruk geven. Nu ik weer thuis ben heb ik zoveel te verwerken! Ik heb genoten van het huiselijk leven bij jullie. Na drie weken was ik helemaal gewend aan de kleine lunch overdag en de warme maaltijd 's avonds.

Wat me verwondert is dat er nog zoveel opvallende overblijfselen zijn van de koloniale tijd. In bijna alle steden waar ik geweest ben, is er een wijk met Indische straatnamen: de Javastraat, de Bantammerweg, enzovoort. Dan zijn er ook nog de vele Indische en Chinese restaurants, die langzamerhand deel uitmaken van de Hollandse keuken! Ik vind dat erg leuk. Het brengt afwisseling en kleur in het alledaagse leven.

Tijdens mijn afwezigheid is het huishouden op wieltjes verlopen. Mijn man en de kinderen hebben 's middags respectievelijk op het werk en op school gegeten. De rest gebeurde met de Franse slag. Roel heeft in de tuin kiekjes van ons gemaakt. Zouden jullie me een paar afdrukjes kunnen sturen? Ik hoop dat ze geslaagd zijn. Ik laat het hierbij, beste vrienden. Groetjes aan Keesje. Nogmaals mijn dank!

Hartelijke groeten en liefs,

Ingrid

Erläuterungen 30 B

1. Plural der Substantive auf -man

Viele Substantive auf **-man** erhalten im Plural **-lui** (gesprochene Sprache) oder **-lieden** (Schriftsprache), vgl. *-leute* im Deutschen.

koop**man** *Kaufmann* – koop**lui**, koop**lieden**
zee**man** *Seemann* – zee**lui**, zee**lieden**

Merke: Emgels**man** *Engländer* – Engel**sen**
Frans**man** *Franzose* – Frans**en**

2. „Schwere Wörter"

Die folgende Zusammenstellung enthält eine Anzahl häufiger, aber für Deutschsprachige leicht verwechselbarer Wörter. Die Zahlen zwischen den Klammern geben die Lektionen an, in denen das betreffende Wort vorkommt.

aandacht; aandachtig [a:n'dɑxtəx]	Aufmerksamkeit; aufmerksam
aangezien (28)	weil, da
aardig ['a:rdəx] (14, 17, 25)	nett, hübsch
afstand (21)	Entfernung; Abstand
al (1, 2, 4 usw.)	schon, bereits
allemaal (11, 13, 18, 24, 30)	alle, alles
beleefd (22)	höflich
bel; bellen (2, 4, 11, 12)	Klingel; klingeln
beschouwen [bə'sxɑ̈ə(n)]; beschouwing (27, 28)	betrachten; Betrachtung
betekenen [bə'te:kənə(n)] (20, 24, 27)	bedeuten
bevallen (15, 16, 18, 19 usw.)	gefallen; entbunden werden
bidden	beten
blij [blɛĭ] (2, 8, 24, 30)	froh
het blik(je) (6, 22)	die Büchse
boodschap (11, 18, 19, 22, 25)	Besorgung; Botschaft
het bord (14, 18, 21, 23)	der Teller; das Schild; die Tafel
het bos (6, 9, 11)	der Wald
broek [bru·k] (3, 9)	Hose
brutaal [bry·'ta:l]	frech
buur [by:r] (5, 8, 9, 11 usw.)	Nachbar
het café (4, 5, 6, 9, 19 usw.)	die Kneipe, die Wirtschaft
dadelijk ['da:dələk] (10, 15, 19)	gleich
deftig ['dɛftəx]	vornehm
die (5 usw.)	jener; der, die, das (da)
doof (10)	taub
doos; het doosje ['do:ʃə] (15. 17)	Schachtel; Dose
durven ['dərv̆ə(n)] (3, 7, 13, 14, 22)	wagen, sich trauen
echter (12, 18, 20, 21, 27)	jedoch
enkel (*Substantiv*)	Knöchel
enkel (*Abverb*)	nur
enkel(e) (18, 23, 27, 29)	einige; einzig
even (1, 4, 5, 11 usw.)	mal; genauso
gekocht = *Partizip Perfekt von* kopen (14, 17, 20, 24)	gekauft
geloven (6, 12, 13, 14, 20 usw.)	glauben
gemakkelijk [ɣ̆ə'mɑkələk] (8, 9, 17, 19)	leicht, einfach; bequem
geschikt	geeignet
gezellig [ɣ̆ə'zɛləx] (4, 9, 24)	gemütlich
haast (*Adverb*) (3, 13, 14, 15)	fast
het hart; hartelijk ['hɑrtələk] (1, 2, 12, 14, 19, 26, 30)	das Herz; herzlich
heel (1, 2, 3 usw.)	ganz; gehr
herstellen [hɛr'stɛlə(n)] (15, 30)	wiederherstellen
het hert	der Hirsch
inlichten; inlichtingen *pl.* (9, 14)	Auskunft geben; Auskunft
jarig ['ja:rəx] (11, 19, 25)	Geburtstag habend
kant (14, 25)	Seite; Kante
kast (3, 4, 17)	Schrank
klaar (13, 17, 20)	fertig; klar
het kleinkind	der Enkel
knap (23)	hübsch; klug, gescheit

kweken (17) — züchten
leeftijd ['le:ftɛɪt] (17) — Alter
maagd — Jungfrau
het meer (24, 29) — der See
meevallen (18, 19, 20) — besser ausfallen als erwartet
mist — Nebel
mogen (3 usw.) — dürfen; mögen
net (*Adverb/Adjektiv*) (4, 7, 13, 17 usw.) — gerade; eben; nett
net als (1) — genau wie
noch (... noch) (13) — weder (... noch)
nog (1, 4, 5, 6 usw.) — noch
nogal [nɔ'ɣɑl] (14, 15, 17) — ziemlich
of (10, 11, 14, 17 usw.) — oder; ob
ondanks (11, 19, 23) — trotz
het opzicht (18) — die Hinsicht
het pak (3, 4, 9) — das Paket; der Anzug
postzegel (16, 20, 25) — Briefmarke
rijden ['rɛɪə(n)] (7, 8, 10, 11 usw.) — fahren; reiten
rusten; rustig ['rəstəx] (5, 16, 18, 19 usw.) — ruhen; (selten) rüsten; ruhig
scheren ['sxe:rə(n)] (9, 17) — rasieren
schilderij [sxɪldə'rɛɪ] (17, 30) — Gemälde
schoon; schoonmaken (20) — sauber; reinigen, putzen
schrijver ['sxrɛɪv̌ər] (19) — Autor, Schriftsteller
slagen (20, 25, 30) — gelingen, bestehen
slager (19) — Metzger, Fleischer
slim — klug, schlau
het station [stɑ'sɪɔn] (4, 8, 9, 13 usw.) — der Bahnhof
steunen ['stø:nə(n)] (22, 27) — sich stützen; stöhnen; unterstützen
stoppen (2, 10) — anhalten; stopfen
straks (5, 13, 15, 18) — nachher, bald; vorhin
tafel (10, 13, 26, 30) — Tisch
trachten — versuchen, probieren
trouwen ['trɑův̌ə(n)] (17, 19, 25) — heiraten
uitnodigen ['əɣtno:dəɣ̌ə(n)]; uitnodiging (3, 4, 6, 7, 15 usw.) — einladen; Einladung
het uur [y:r]; (twee) uur (2, 4, 9, 10, 11, 12 usw.) — Stunde; (zwei) Uhr
varen (24, 27) — fahren (mit Schiff)
verdieping (18, 30) — Stock(werk)
verjaardag (11) — Geburtstag; (*seltener*) Jahrestag
verruken; verrukkelijk [v̌ə'rɛkələk] (13) — entzücken; entzückend
vertellen (6, 9, 12, 14 usw.) — erzählen
vervelen (5, 27, 30) — langweilen
het vervoer [v̌ər'v̌u:r]; vervoeren (28) — der Transport; befördern, transportieren
verzoeken [v̌ər'zu·kə(n)] — bitten, ersuchen
vragen (4, 5, 7, 8, 9 usw.) — bitten um; fragen
vuil [v̌əɣl] (17) — schmutzig
wandelen; wandeling (1, 2, 6, 11 usw.) — spazieren; Spaziergang
weg [ʋɛx] (2, 4, 5, 7 usw.) — (Verkehrs-)Straße; Weg; weg
werken; het werk (1, 6, 11, 16 usw.) — arbeiten; die Arbeit
wie (4, 6, 8, 11 usw.) — wer
wijk [ʋɛɪk] (19, 30) — (Wohn-)Viertel
winkel (4, 5, 6, 10 usw.) — Laden, Geschäft
zee (6, 9, 10, 13 usw.) — die See, das Meer
het zeil [zɛɪl] (24) — das Segel; die Plane
zelden (*nur Adverb*) (17) — selten
zeldzaam (*nur Adjektiv*) — selten
zelfs (9, 11, 17, 21 usw.) — selbst, sogar
zullen ['zələ(n)] (3, 5, 8 usw.) — werden

128

Übungen

1. Allgemeine Wiederholungsübung: Bilden Sie Plural, Imperfekt und Perfekt. Nach dem Modell: We eten steeds in een goed restaurant. – We aten steeds in goede restaurants. – Wij hebben steeds in goede restaurants gegeten.
Elke vogel legt een ei. – De trein komt het station te laat binnen. – Die eeuwige ruzie verveelt me! – De belastinginspecteur stelt een onregelmatigheid in de boekhouding van de firma vast. – De jongen laat zijn kans voorbijgaan. – De koopman is bijna bankroet. – De tafel staat in de hoek van de kamer. – In het museum hangt een mooi schilderij van een impressionist. – De monteur herstelt onze auto. – Onze buur bouwt een verdieping bij. – De dokter geeft mij een injectie. – De typiste maakt geen fout. – Zie je die sneeuwman? – Je hebt een verkeerde kous aan. – De musicus speelt zijn nieuwste melodie. – De lerares onderbreekt de les. – In het centrum van de stad kunnen we niet parkeren. – De speler wordt gehinderd. – Mijn vriend neemt een retourkaartje.

2. Übersetzen Sie:

Breda, den 5. Oktober 19..

Liebe Ingrid,
Vielen Dank für Deinen Brief!
Wir sind froh, daß es Dir bei uns gefallen hat. Unser kleiner Kees hat schon oft nach Dir gefragt.
Wir haben uns natürlich schon lange daran gewöhnt, aber einem Ausländer fallen die indischen Straßennamen tatsächlich wohl eher auf.
Nachdem wir schon öfter bei Euch waren, seid Ihr wirklich an der Reihe, mal alle hierher zu kommen!
Roel will Dir die Fotos so schnell wie möglich schicken (entwickelt sind sie noch nicht).
Herzliche Grüße von uns allen,

Margriet

30 D

uit de grond van mijn hart aus tiefstem Herzen, sehr herzlich
het verblijf [v̌ər'blɛïf] der Aufenthalt
leerzaam lehrreich
overhalen überreden
nabij [nɑ'bɛi] nahe
toekomst ['tuˑkɔmst] Zukunft
gewend zijn sich gewöhnt haben
lunch [lənʃ] Brotmahlzeit mit kalter oder warmer Vorspeise

langzamerhand allmählich
deel uitmaken van gehören zu
tijdens ['tɛïdə(n)s] während
afwezigheid [ɑf'ʋeːzəxɛit] Abwesenheit
op wieltjes reibungslos
met de Franse slag mit der linken Hand
het kiekje das Foto

Anhang

Die Vergangenheitsformen
der starken und unregelmäßigen Verben

Die wichtigsten Abweichungen vom Deutschen sind fett gedruckt. Die mit * gekennzeichneten Verben sind wenig gebräuchlich, veraltet.

I. Die vier großen Klassen (vgl. 7 B)

1. [ɛĭ] ij — [e:] ee, e — e

bezwijken	bezweek	bezweken	*erliegen*
bijten	beet	gebeten	*beißen*
blijken	bleek	gebleken	*sich zeigen*
blijven	bleef	gebleven	*bleiben*
drijven	dreef	gedreven	*treiben*
glijden	gleed	gegleden	*gleiten*
grijpen	greep	gegrepen	*greifen*
hijsen	hees	gehesen	*hissen*
kijken	keek	gekeken	*gucken, schauen*
knijpen	kneep	geknepen	*kneifen*
krijgen	kreeg	gekregen	*kriegen, bekommen*
*****krijten**	kreet	gekreten	*kreischen*
kwijten	kweet	gekweten	*begleichen*
lijden	leed	geleden	*leiden*
lijken	leek	geleken	*ähneln; scheinen*
mijden	meed	gemeden	*meiden*
*****nijgen**	neeg	genegen	*neigen*
prijzen	prees	geprezen	*preisen*
rijden	reed	gereden	*fahren, reiten*
rijgen	reeg	geregen	*reihen, schnüren*
*****rijten**	reet	gereten	*reißen*
rijzen	rees	gerezen	*steigen*
schijnen	scheen	geschenen	*scheinen*
schijten	scheet	gescheten	*scheißen*
schrijden	schreed	geschreden	*schreiten*
schrijven	schreef	geschreven	*schreiben*
slijpen	sleep	geslepen	*schleifen*
slijten	sleet	gesleten	*verschleißen*
smijten	smeet	gesmeten	*schmeißen*
snijden	sneed	gesneden	*schneiden*
spijten	speet	gespeten	*bedauern*
splijten	spleet	gespleten	*spalten*
stijgen	steeg	gestegen	*steigen*
stijven	steef	gesteven	*stärken*
strijden	streed	gestreden	*kämpfen, streiten*
strijken	streek	gestreken	*streicheln, bügeln*
verdwijnen	verdween	verdwenen	*verschwinden*
wijken	week	geweken	*weichen*
wijten	weet	geweten	*vorwerfen*
wijzen	wees	gewezen	*weisen, zeigen*
wrijven	wreef	gewreven	*reiben*
*****zijgen**	zeeg	gezegen	*sinken*
zwijgen	zweeg	gezwegen	*schweigen*

130

2. [iˑ] ie/[əʏ] ui   [oː] oo, o   o

bedriegen	bedroog	bedrogen	*betrügen*
bieden	bood	geboden	*bieten*
genieten	genoot	genoten	*genießen*
gieten	goot	gegoten	*gießen*
kiezen	koos	gekozen	*wählen*
liegen	loog	gelogen	*lügen*
schieten	schoot	geschoten	*schießen*
verdrieten	verdroot	verdroten	*verdrießen*
verliezen	verloor	verloren	*verlieren*
*vlieden	vlood	gevloden	*fliehen*
vliegen	vloog	gevlogen	*fliegen*
*vlieten	vloot	gevloten	*fließen*
vriezen	vroor	gevroren	*frieren*
buigen	boog	gebogen	*biegen*
druipen	droop	gedropen	*triefen*
duiken	dook	gedoken	*tauchen*
fluiten	floot	gefloten	*pfeifen*
kluiven	kloof	gekloven	*nagen*
kruipen	kroop	gekropen	*kriechen*
*luiken	look	geloken	*schließen*
ruiken	rook	geroken	*riechen*
schuilen	school, schuilde	gescholen, geschuild	*sich unterstellen*
schuiven	schoof	geschoven	*schieben*
sluipen	sloop	geslopen	*schleichen*
sluiten	sloot	gesloten	*schließen*
snuiten	snoot	gesnoten	*schneuzen*
snuiven	snoof	gesnoven	*schnauben*
spruiten	sproot	gesproten	*sprießen*
spuiten	spoot	gespoten	*spritzen*
stuiven	stoof	gestoven	*stieben*
zuigen	**zoog**	**gezogen**	*saugen*
zuipen	zoop	gezopen	*saufen*

3. [ɪ] i/[ɛ] e   [ɔ] o   o

beginnen	begon	begonnen	*beginnen*
binden	bond	gebonden	*binden*
blinken	blonk	geblonken	*glänzen*
*dingen	dong	gedongen	*dingen*
dringen	drong	gedrongen	*dringen*
drinken	dronk	gedronken	*trinken*
dwingen	dwong	gedwongen	*zwingen*
*glimmen	glom	geglommen	*glimmen*
klimmen	klom	geklommen	*klimmen, klettern*
klinken	klonk	geklonken	*klingen*
krimpen	kromp	gekrompen	*eingehen, schrumpfen*
schrikken	schrok	geschrokken	*erschrecken*
*slinken	slonk	geslonken	*abnehmen*
spinnen	spon	gesponnen	*spinnen*
springen	sprong	gesprongen	*springen*
stinken	stonk	gestonken	*stinken*
verslinden	verslond	verslonden	*verschlingen*
*verzwinden	verzwond	verzwonden	*verschwinden*
vinden	vond	gevonden	*finden*
winden	wond	gewonden	*winden*
winnen	won	gewonnen	*gewinnen*
wringen	wrong	gewrongen	*ringen*

zingen	zong	gezongen	*singen*
zinken	zonk	gezonken	*sinken*
zinnen	zon	gezonnen	*sinnen*
bergen	borg	geborgen	*bergen*
delven	dolf	gedolven	*graben*
gelden	gold	gegolden	*gelten*
kerven	korf, kerfde	gekorven, gekerfd	*kerben*
melken	molk, melkte	gemolken	*melken*
schelden	schold	gescholden	*schelten, schimpfen*
schenden	schond	geschonden	*schänden*
schenken	schonk	geschonken	*schenken*
smelten	smolt	gesmolten	*schmelzen*
treffen	trof	getroffen	*treffen*
trekken	trok	getrokken	*ziehen*
vechten	vocht	gevochten	*kämpfen*
vlechten	vlocht	gevlochten	*flechten*
zenden	zond	gezonden	*senden*
zwelgen	zwolg	gezwolgen	*schwelgen*
zwellen	zwol	gezwollen	*schwellen*
zwemmen	zwom	gezwommen	*schwimmen*

4. [e:] e/[ɪ] i [ɑ] a ; **Plural:** [a:] a A) [e:] e

eten	at ; aten	gegeten	*essen*
genezen	genas ; genazen	genezen	*genesen*
geven	gaf ; gaven	gegeven	*geben*
lezen	las ; lazen	gelezen	*lesen*
meten	mat ; maten	gemeten	*messen*
treden	trad ; traden	getreden	*treten*
vergeten	vergat; vergaten	vergeten	*vergessen*
vreten	vrat ; vraten	gevreten	*fressen*
bidden	bad ; baden	gebeden	*beten; bitten*
liggen	lag ; lagen	gelegen	*liegen*
zitten	zat ; zaten	gezeten	*sitzen*

B) [o:] o

bevelen	beval ; bevalen	bevolen	*befehlen*
breken	brak ; braken	gebroken	*brechen*
nemen	nam ; namen	genomen	*nehmen*
spreken	sprak ; spraken	gesproken	*sprechen*
steken	stak ; staken	gestoken	*stecken*
stelen	stal ; stalen	gestolen	*stehlen*

II. Die anderen starken und unregelmäßigen Verben (vgl. 4 B, 8 B und 9 B)

bakken	bakte	gebakken	*backen*
barsten	barstte	gebarsten	*bersten, platzen*
bederven	**bedierf**	bedorven	*verderben*
blazen	blies	geblazen	*blasen*
braden	**braadde**	gebraden	*braten*
brengen	bracht	gebracht	*bringen*
denken	dacht	gedacht	*denken*
doen	**deed**	gedaan	*tun*
dragen	droeg	gedragen	*tragen*
dunken	*docht, *dunkte	*gedocht, *gedunkt	*dünken*
durven	durfde, *dorst	gedurfd	*wagen, sich trauen*
gaan	ging	**gegaan**	*gehen*

graven	groef	gegraven	*graben*
hangen	hing	gehangen	*hängen*
hebben	**had**	**gehad**	*haben*
heffen	**hief**	**geheven**	*heben*
helpen	**hielp**	geholpen	*helfen*
heten	**heette**	geheten	*heißen*
houden	hield	**gehouden**	*halten*
houwen	hieuw	gehouwen	*hauen*
jagen	joeg, jaagde	gejaagd	*jagen*
komen	**kwam; kwamen**	gekomen	*kommen*
kopen	**kocht**	**gekocht**	*kaufen*
kunnen	**kon; konden**	gekund	*können*
lachen	lachte	**gelachen**	*lachen*
laden	**laadde**	geladen	*laden*
laten	liet	gelaten	*lassen*
lopen	liep	gelopen	*laufen*
malen	maalde	gemalen	*mahlen*
moeten	**moest**	**gemoeten**	*müssen*
mogen	mocht	gemogen, gemoogd	*dürfen*
plegen	placht	–	*pflegen, gewohnt sein*
raden	raadde, ried	geraden	*raten*
roepen	riep	geroepen	*rufen*
scheiden	**scheidde**	gescheiden	*scheiden*
scheppen	**schiep**	geschapen	*schaffen*
scheren	schoor	geschoren	*rasieren*
slaan	sloeg	geslagen	*schlagen*
slapen	sliep	geslapen	*schlafen*
spannen	spande	**gespannen**	*spannen*
staan	**stond**	**gestaan**	*stehen*
sterven	**stierf**	gestorven	*sterben*
stoten	**stootte, (stiet)**	gestoten	*stoßen*
*tijgen	toog	getogen	*ziehen*
vallen	viel	gevallen	*fallen*
vangen	ving	gevangen	*fangen*
varen	voer	gevaren	*fahren (m. Schiff)*
verbannen	verbande	**verbannen**	*verbannen*
vouwen	vouwde	gevouwen	*falten*
vragen	**vroeg**	gevraagd	*fragen; bitten*
waaien	woei, waaide	gewaaid	*wehen*
wassen	**waste**	gewassen	*waschen*
wegen	woog	gewogen	*wiegen*
werpen	**wierp**	geworpen	*werfen*
werven	**wierf**	geworven	*werben*
weten	**wist**	**geweten**	*wissen*
weven	weefde	**geweven**	*weben*
wezen	was; waren	geweest	*sein*
willen	wou, wilde; wilden	gewild	*wollen*
worden	**werd**	geworden	*werden*
wreken	wreekte	gewroken	*rächen*
zeggen	**zei; zeiden**	gezegd	*sagen*
zien	**zag; zagen**	gezien	*sehen*
zijn	**was; waren**	**geweest**	*sein*
zoeken	**zocht**	gezocht	*suchen*
zouten	zoutte	gezouten	*salzen*
zullen	**zou; zouden**	–	*werden*
zweren[1]	zwoer	gezworen	*schwören*
zweren[2]	zwoor	gezworen	*schwären*
zwerven	zwierf	gezworven	*wandern*

133

Sachregister

Die Zahlen beziehen sich auf die Seiten